LES GUIDES DE L'ETUDIANT

COLLECTION DIRIGÉE

LES GUIDES DE L'ETUDIANT

COLLECTION DIRIGÉE PAR OLIVIER ROLLOT

BAC

ÉTUDES

VIE PRATIQUE

1ER EMPLOI

Les métiers de la
COMMUNICATION

CHRISTINE AUBRÉE

avec la collaboration de
ANNICK REIPERT

l'Etudiant
www.letudiant.fr

SOMMAIRE

**Pour bien utiliser ce livre, et trouver la bonne réponse
à vos questions, consultez l'index en fin d'ouvrage.**

EN UN CLIN D'ŒIL

Les informations que nous publions dans ce livre
sont à jour en octobre 2000.
Pour les actualiser ou pour les compléter,
lisez chaque mois *l'Etudiant* ou tapez 36.15 LETUDIANT.

L'explosion des techniques ne parvient pas à assouvir la soif de communication qui a saisi la planète depuis ces dernières années. Après les journaux, la radio, la télévision, le téléphone, le Minitel, la télécopie, le câble, la micro-informatique, le téléphone portable et Internet ont conquis avec une rapidité fulgurante notre quotidien.

▬▬▬ Avez-vous le virus de la communication ?

Devant de telles prouesses technologiques, on acquiert au moins une certitude : l'homme a attrapé le virus de la communication mais la crise économique, au début des années 90, l'a obligé à réfléchir. Finie la communication anarchique et coûteuse qui a caractérisé les années 80.

Le début de la décennie 90 a en effet marqué un tournant dans l'histoire de la communication. Jusqu'à présent, ce monde se divisait entre journalistes, publicitaires et professionnels chargés des relations publiques et des relations presse.

Depuis, les frontières se sont estompées et les repères brouillés : des journalistes sautent de l'autre côté de la barrière, des publicitaires se convertissent aux relations publiques et les écoles de communication, tout en conservant leur spécialisation initiale, étendent leurs enseignements à l'ensemble du secteur.

Pour vous repérer dans ce milieu touffu où les professionnels se comptent avec beaucoup de difficulté, la première partie de cet ouvrage passe en revue les différents types de communication et vous emmène aussi bien dans des groupes multinationaux, dans des petites agences ou dans des services de communication intégrés aux entreprises, que dans les ministères ou les collectivités locales.

▬▬ Loin des paillettes

Au fil des pages, des attachés de presse, des responsables de la communication racontent leur métier passionnant mais difficile, et vous l'affirment clairement : ce sont de vrais professionnels qui veulent jouer un rôle stratégique dans l'entreprise et déclarent la guerre aux amateurs qui polluent le métier.

La deuxième partie dresse le panorama complet des professions de la communication d'entreprise, des relations publiques et relations presse, qu'elles soient exercées en agence, en entreprise privée ou publique ou encore en indépendant, dans des secteurs aussi différents que l'industrie, la mode, la fonction publique, la politique, le spectacle ou encore l'édition.

▬▬ Culture générale, débrouille et ténacité

Tous les professionnels vous le diront : le sens du contact, on l'a dans la peau, cela ne s'apprend pas à l'école. Mais cette qualité indispensable ne suffit plus. Une solide culture générale complétée par une bonne formation en communication vous donneront un profil plus intéressant pour les recruteurs. La troisième partie vous aidera à choisir la formation la mieux adaptée à vos aspirations.

Les métiers de la communication ont toujours attiré de nombreux candidats, rendant ainsi les débuts des jeunes diplômés parfois difficiles. Alors, diplôme en poche, comment peut-on débuter ? Vous trouverez dans la quatrième partie de ce guide les conseils que vous livrent les professionnels qui ont réussi à se faire une place dans ce secteur. Profitez de leurs expériences et d'une conjoncture favorable : on note en effet depuis la fin des années 90 une reprise de l'embauche dans le secteur de la communication, notamment grâce au développement des nouvelles technologies.

PARTIE 1

ÉTAT DES LIEUX

Se familiariser avec l'univers de la communication, c'est déjà prendre conscience de son extrême diversité. Qu'y a-t-il de commun en effet entre des grands réseaux mondiaux comme Burson-Marsteller, Hill and Knowlton ou Shandwick, des petites agences salariant deux ou trois personnes, et des attachés de presse indépendants ? Quel point commun y a-t-il encore entre le service de la communication de la Banque de France, qui doit cultiver discrétion et secret, et celui des productions Disney qui débarquent régulièrement en France dans le plus grand tapage médiatique ? Quel pont, enfin, permet de passer de la mode à l'édition, de l'agriculture à la politique ? C'est toujours la communication, qui se décline sur tous les modes et dans tous les secteurs en multiples spécialisations.

L'état des lieux de la communication, c'est un panorama général de la profession à la fin des années 90 : l'impact de la crise, la quête d'une identité spécifique aux relations publiques, la définition des différents types de communication, la communication en agence, en entreprise et dans le secteur public.

SOMMAIRE

LES LEÇONS DE LA CRISE

Ah! Les années 80… Lorsque la communication sera une vieille dame assise, sûre de son identité et de ses valeurs, elle se souviendra avec amusement des années de sa folle jeunesse. Passée brusquement de l'ombre à la lumière, elle éblouissait et s'éblouissait, convaincue qu'elle pourrait éternellement faire les stars et les présidents…

Des budgets en hausse (+ 15 % par an de 1986 à 1989, selon l'Association pour l'emploi des cadres), des embauches inédites (les professionnels de relations publiques sont passés de 5 000 en 1983 à 10 000 en 1993), des salaires confortables… la profession voyait tout en rose et en grand. De la même façon, les établissements publicitaires poussaient comme des champignons : entre 1980 et 1990, leur nombre était multiplié par deux, passant de 4 561 à 8 851 et les effectifs suivaient une progression similaire, avec 100 352 personnes en 1990, contre 52 132 au début de la période. « On pensait avoir trouvé un Eldorado », commente Philippe Legendre de l'**AACC**.

> **AACC**
> **Association des agences conseils en communication.**

LE GLAS DES ANNÉES FASTES

En 1991, la guerre du Golfe, la récession américaine, la crise économique surprennent les « communicants » en pleine fête. Les lumières s'éteignent, le flot de champagne se tarit, les cocktails se raréfient : le monde de la communication se réveille avec la « gueule de bois ». La magie s'interrompt : après les années d'expansion, voici venu le temps des coupes sombres dans les investissements non immédiatement productifs. Alors que les « charrettes » se multiplient dans les entreprises, les budgets confortables des services de communication sont montrés du doigt et les professionnels se voient imposer un train de vie moins fastueux : un impératif moral et économique.

INFORMER, RASSURER

La listériose menace les entreprises fromagères les plus respectées ? Les consommateurs veulent savoir ce qu'ils mangent, comment sont testés les produits qu'ils achètent, comment sont traités les salariés qui les fabriquent ? Les opérations d'absorption, fusions, rachats d'entreprises qui se jouent au niveau international inquiètent les salariés qui craignent restructurations et licenciements et les consommateurs qui redoutent les monopoles ? Les entreprises se rebaptisent et choisissent des noms compréhensibles par tous dans le monde : Danone (au lieu de BSN), Vivendi (au lieu de Compagnie générale des eaux…).

Une entreprise naît, vit, se développe et peut aussi mourir. Tout au long de son développement, la communication accompagne désormais ses succès et ses difficultés. Quelles que soient les circonstances, les hommes et femmes de la communication anticipent pour soigner et infléchir l'image de leur entreprise.

L'HEURE DES BILANS

L'onde de choc est rude pour cette profession jeune qui n'a jamais connu que l'expansion. Dans l'entreprise, la remise en cause est sévère pour ce qui apparaît soudain comme un service dispendieux, à la rentabilité incertaine. Le doute s'installe : la communication est-elle utile à l'entreprise ou n'est-elle finalement qu'un gadget ? Passé ce vent de panique, les professionnels se ressaisissent et tirent du passé les leçons et les enseignements nécessaires à prouver leur conviction : la communication est vitale pour l'entreprise, même s'il y a eu des excès auxquels il faut remédier. Comment distinguer dix produits similaires si ce n'est par leur image ? Comment conserver un climat social acceptable dans l'entreprise à l'heure des licenciements, des restructurations ou lors d'une privatisation ?

▰▰▰ L'adieu aux paillettes

L'idée n'est pas nouvelle : cette image de superficialité colle tellement à la peau des hommes et femmes de communication qu'ils le répètent comme préambule à toute discussion sur leur métier : « La communication, ce n'est pas les cocktails et les petits fours ». C'est bien connu, le cordonnier est toujours le plus mal chaussé… et la publicité a, elle aussi, un peu négligé de soigner son image de marque. Les années 80, associées au « fric facilement gagné », ont beaucoup nui à la profession. Les « fils de pub » se posent alors la même question que leurs collègues des services de communication : comment présenter la publicité comme une affaire de professionnels ?

Menée par l'Association des agences conseils en communication (AACC), cette réflexion a abouti à la création de la Semaine de la publicité dont la première édition a eu lieu à Paris en octobre 1996. Pendant six jours, des directeurs artistiques, des média planners et bien d'autres professionnels du secteur ont décrit leurs métiers, les enjeux, ont mis à nu l'envers du décor.

▰▰▰ Comment évaluer l'efficacité de la communication

Si la publicité faisait l'objet d'études précises, les relations publiques, réputées agir sur l'image de l'entreprise sur le long terme, ont longtemps échappé à un contrôle très rigoureux. Ce flou a fini par irriter les clients et certains sont même allés jusqu'à proposer aux attachés de presse une rémunération « à la coupure de presse », une attitude contraire à la déontologie du métier qu'a dénoncée vivement l'association Information Presse et Communication (ex-UNAPC).

Chacun a donc cherché l'instrument d'évaluation miracle susceptible de rassurer l'entreprise sur ses investissements et le chargé de relations publiques sur son efficacité. Les recherches ont d'abord porté sur l'aval des relations presse, avec une prédilection

L'EXIGENCE DE LA QUALITÉ

Garantir aux clients plus de professionnalisme, un travail sérieux, efficace pour les aider à relever les enjeux de leurs entreprises : tel est l'objectif que se fixent les agences de conseil en relations publiques.

Depuis 1994, elles peuvent solliciter auprès de l'Office professionnel de qualification des organismes de formation et de conseil (OPQFC) une qualification pour l'un ou plusieurs des huit domaines d'intervention des RP (conseils, audit, études ; communication institutionnelle ; interne ; sur les produits ; financière ; avec les pouvoirs publics ; de crise ; spécialisées). Depuis 1997, une deuxième étape « Qualité » a été mise en œuvre par Syntec Relations publiques en vue de soutenir la certification ISO des agences conseil.

• OPQFC, 66, rue Louis-Pasteur, BP 124, 92106 Boulogne-Billancourt, tél. 01.46.99.14.55. Site Internet : opqfc.org

pour le quantitatif : combien de coupures, combien de centimètres carrés ? Mais l'équivalence coût/surface publicitaire ne satisfaisait personne (l'impact d'un bon rédactionnel surpasse celui d'une publicité) et des outils d'évaluation de plus en plus sophistiqués ont été développés par les entreprises et les agences spécialisées.

Pour certains professionnels, les instruments de **mesure** n'ont plus grand intérêt. « La donne a considérablement changé, explique Philippe Hardouin, président de Entreprises & Médias, association de directeurs de la communication (*CB News*, juin 2000), et un élément majeur s'est imposé : la

> **MESURE**
> Pour les sociétés cotées en Bourse, la confiance des actionnaires est le meilleur indice : s'ils sont satisfaits, la stratégie de l'entreprise est la bonne et elle a bien communiqué.

QUAND LES ÉLECTIONS SERVENT D'ÉVALUATION

Le secteur public n'échappe pas non plus à ce souci d'évaluation des actions de communication... même si, comme le souligne une enquête du Centre d'études de communication politique et publique (CECOPOP) réalisée de novembre 1994 à février 1995, près d'une institution sur deux ne se donne pas les moyens d'apprécier les effets de sa communication. Les sommes consacrées à l'évaluation représentent souvent moins de 5 % des budgets de communication (7 % dans les grandes villes). « C'est encore aujourd'hui une faiblesse, reconnaît André Hartereau, ancien cadre au Centre national de la fonction publique territoriale (CNFPT) et auteur d'un ouvrage méthodologique sur la communication publique territoriale. Souvent, pour les élus, la seule évaluation, ce sont les élections. Pourtant, il est essentiel d'évaluer son action en permanence. »

Si le journal municipal n'est pas vendu, il doit néanmoins être attendu par les habitants. Comment éviter qu'il passe directement de la boîte aux lettres à la poubelle ? En vérifiant régulièrement qu'il répond bien aux attentes des citoyens. « En 1996, nous avons réalisé un sondage sur *Strasbourg Magazine*, se souvient Louis Nore, son rédacteur en chef. Il a révélé un taux de pénétration de 70 %, ce qui est très bien. Cela confirmait notre sentiment puisque nous avions remarqué que de plus en plus de gens nous signalaient qu'ils ne le recevaient pas ou nous suggéraient des sujets d'articles. Pour répondre mieux encore à leurs besoins, nous avons changé la maquette et décidé d'ajouter tous les quatre mois un numéro spécial "Communauté urbaine". »

satisfaction des actionnaires. Il n'y a pas de plus belle mesure que la communauté financière. Si elle a confiance dans l'entreprise, c'est que celle-ci a bien communiqué sur ses objectifs ».

▬▬ Toujours plus stratégique...

C'est l'évolution la plus marquante des années 90. L'entreprise évolue dans un univers économique chaque jour plus compétitif et plus international, dans un environnement social complexe qui l'interpelle davantage. Il ne suffit pas toujours, pour elle, de fabriquer de bons produits et de les mettre sur le marché à grand renfort de publicité. De multiples dangers peuvent l'affaiblir : les rumeurs lancées par la concurrence, des mouvements de grève, la réprobation des associations de consommateurs et d'environnement, des tentatives d'offre publique d'achat (OPA), les fluctuations de la Bourse, l'adoption d'une loi ou d'une réglementation compromettant gravement l'activité et la prospérité de l'entreprise...

Dans tous ces domaines, la communication peut intervenir. Vigilante, elle agit en amont auprès des différents partenaires de l'entreprise pour créer l'environnement le plus favorable possible à l'épanouissement de ses activités. Réactive, elle donne le ton de la réplique lorsque la crise éclate, menaçant l'existence de l'entreprise.

« Le conseil stratégique aux chefs d'entreprise, c'est l'avenir des relations publiques », souligne Gabrielle de la Ville-Baugé, qui conseille les annonceurs sur le choix d'une agence de communication. Selon une enquête réalisée en 1997 par l'Union des annonceurs (UDA), les relations publiques sont d'ailleurs une des formes de communication les plus prisées aujourd'hui par les entreprises, juste après la communication institutionnelle.

LES MILLE ET UN VISAGES DE LA COMMUNICATION

L a paternité des relations publiques revient couramment à Ivy Lee, qui créa le premier cabinet de relations publiques en 1906 à New York. C'est lui notamment, rappelle Philippe Morel (auteur de *Relations publiques, Relations presse* aux éditions Bréal), qui « entreprit une campagne visant à modifier radicalement l'image des Rockefeller en les faisant considérer comme des bienfaiteurs et non plus comme des exploiteurs ». On lui doit ainsi la création de la fondation Rockefeller et de l'université de Chicago.

Les Français ne commencèrent à pratiquer les relations publiques qu'après la Deuxième Guerre mondiale. Il faudra attendre 1964 pour qu'un arrêté ministériel définisse officiellement les « professions de conseiller en relations publiques et d'attaché de presse », et 1965 pour que la profession se dote d'un code d'éthique international, le Code d'Athènes.

Il s'agit donc d'une profession encore jeune mais qui parvient à maturité. La tranche des plus de 45 ans a fait un bond en quelques années, atteignant 46 % en 1997, mais la majorité des professionnels a cependant moins de 45 ans. En 2000, plus des trois quarts des départements de communication avaient plus de huit ans d'existence. Ce phénomène atteste la pérennisation des postes. La communication est donc un secteur où l'on peut désormais faire carrière.

Le brouillard des mots

La communication se décline sur une quinzaine de modes avec une prédilection pour sa langue paternelle, l'anglais. Il n'est pas toujours évident de se retrouver dans cette multitude de terminologies, certains considérant les différents types de communication comme des métiers, d'autres comme de simples spécialités.

« L'entreprise entretient des relations économiques avec des partenaires très différents. Chacun de ces échanges financiers est lié à une relation d'image dans laquelle intervient un métier de la communication : la communication financière, la communication interne… », explique Jean-Baptiste de Bellescize, qui a été président de Syntec Relations publiques, regroupant une vingtaine de grandes agences de RP. « Il n'y a qu'un métier, c'est la communication. Le reste, ce sont des spécialités », estime un autre responsable d'agence.

Sans entrer davantage dans un débat sémantique, nous avons choisi de vous présenter ces différents types de communication en distinguant d'une part, ceux qui correspondent effectivement à un public précis, et d'autre part, ceux qui sont utilisés dans ces différents domaines et qui s'apparentent davantage à des outils ou des techniques.

À CHAQUE RELATION SA COMMUNICATION

Schématiquement, l'entreprise s'adresse à cinq publics différents : ses actionnaires et son banquier, ses salariés, ses clients – ménages ou professionnels –, ses fournisseurs, les collectivités locales et les pouvoirs publics. Ces relations sont caractérisées par des échanges économiques qu'il faut gérer au mieux pour garantir à l'entreprise le meilleur équilibre financier.

La communication institutionnelle ou *corporate*

Résultante de toutes les communications de l'entreprise, elle gère son image globale. Bernard Brochand explique, dans son *Publicitor* (Dalloz), que « la création ou le développement d'une image de

19

firme ne se satisfont que rarement d'un recours aux seules méthodes et médias de la publicité classique. Une image de firme est à la convergence de la publicité et d'actions aussi diverses que les RP, le sponsoring, le mécénat, etc. Une image de firme, c'est la résultante de la communication externe et de la communication interne. L'image d'une firme est produite par toutes les formes de communication. […] La communication *corporate* est l'intégration d'une sensibilité et d'une politique de communication au niveau le plus élevé du management d'une entreprise ».

La communication interne

Elle gère les relations avec les salariés avec, pour « filtres », les délégués syndicaux et les comités d'entreprise qui constituent, surtout dans de grandes structures, des partenaires privilégiés du responsable de la communication interne. Il les informe de la vie sociale de l'entreprise, des modifications d'organisation, des projets et de tous les événements importants. Pour cela, il dispose d'une palette d'outils qui vont de l'organisation de réunions aux nouvelles technologies, en passant par la diffusion d'un journal interne ou l'installation de panneaux d'affichage aux endroits stratégiques (ascenseurs, distributeurs de boissons…). Les professionnels de la communication lui prédisent un bel avenir.

La communication de recrutement

Elle désigne toutes les actions destinées à favoriser le recrutement. La plus classique, le recours aux petites annonces, répond généralement à des besoins urgents, spécifiques, ou à des volumes d'embauche particulièrement importants. L'entreprise peut aussi choisir de travailler sur le plus long terme. Elle étudie le programme des filières de formation, choisit les écoles qui l'intéressent le plus, développe avec elles des relations privilégiées : réflexion sur les programmes, participation à des cours et conférences, participation aux salons, etc. Une bonne communication de recrutement permet de repérer les jeunes talents à la source, de générer des candidatures spontanées de meilleure qualité et mieux ciblées et de se constituer un fichier dans lequel on peut puiser en cas de besoin, s'épargnant ainsi les dépenses d'une petite annonce.

▬▬ La communication financière

Sa cible : les actionnaires, les banquiers, les analystes financiers des sociétés de bourse ou des établissements bancaires. Sa mission quotidienne : informer sur les chiffres de l'entreprise, rassurer, prendre en charge le rapport d'activité annuel, défendre et illustrer les résultats de l'entreprise. C'est également la communication financière qui agit lorsqu'intervient une **OPA**, lors d'une fusion, d'une acquisition ou de l'introduction en Bourse de l'entreprise, par exemple. Son rôle consiste alors à analyser l'impact de l'opération sur les actionnaires, le personnel, les clients, les

> **OPA**
> Pour mémoire, il s'agit d'une offre publique d'achat.

médias et à développer les stratégies de communication adaptées pour influencer le résultat de l'OPA.

▬▬ La Communication *Business to Business*

La *Com'B to B* (prononcez « bi tou bi »), comme l'appellent les initiés, c'est la communication entre professionnels, fournisseurs ou clients. L'entreprise qui fabrique du verre, par exemple, ne va pas s'adresser directement au grand public. Ses clients sont souvent des professionnels, eux-mêmes fabricants de comptoirs, de tables, de fenêtres…

« C'est une communication très technique, explique Dogad Dogouy, directeur d'Almeria Relations publiques et qui a travaillé huit ans dans la *Com'B to B*… Elle est l'objet d'une décision collégiale où l'affectif n'intervient que de façon très marginale. Dans le pôle de décision se retrouvent le directeur général, le directeur du développement, le directeur des achats, le directeur de la communication. Mon travail consistait à trouver pour chacun les arguments auxquels il était le plus sensible dans son domaine de responsabilité. »

▰▰▰ Le *lobbying* ou la communication d'influence

Elle gère la relation de l'entreprise avec des partenaires publics tels que les administrations, les élus locaux, nationaux ou européens, le gouvernement, qui prennent des décisions pouvant affecter son activité. Encore peu répandue en France, elle jouit d'une réputation très mitigée. Née aux États-Unis où les acteurs du monde économique venaient défendre leurs intérêts au Congrès dans les *lobbies* (couloirs de la Chambre), elle est contraire à l'esprit français.

« Pour le Français, l'administration, c'est quelque chose qu'on subit, qu'on fraude ou contre laquelle on râle. Il admet mal l'idée de travailler main dans la main avec elle, constate un directeur de cabinet de *lobbying*. Et puis, en France, on a un côté très mondain et le phénomène de « pantouflage » (passage de hauts fonctionnaires dans le secteur privé) est très développé : tout le monde connaît tout le monde et pense que ça suffit. Enfin, le *lobbying* est souvent assimilé à des pratiques obscures telles que la distribution de pots de vin, qui n'avait pourtant pas attendu son apparition pour exister ! »

L'**AFCL** tente de remédier à certaines dérives et propose un code de déontologie pour clarifier les règles. Une démarche d'autant plus louable que l'activité se déve-

> **AFCL**
> Association française des conseils en *lobbying*.

loppe. La création du Marché unique européen a ainsi peu à peu fait de Bruxelles un haut lieu du *lobbying* où les entreprises viennent informer et influencer ceux qui vont décider par exemple des nouvelles normes des matériaux. Cependant, « il n'existe à ce jour guère plus d'une douzaine de cabinets de *lobbying*, précise Thierry Lefébure, qui dirige une grande agence de *lobbying*

T.L. & A et qui a été président de l'AFCL. Le *lobbying* est également pratiqué plus ou moins bien par une vingtaine de cabinets d'avocats et quelques agences de communication ».

Dans quelques entreprises officient des « chargés des relations avec le Parlement », « chargés des collectivités locales » ou « chargés des affaires publiques ». Les structures pionnières en la matière se retrouvent logiquement parmi les organismes professionnels (le Conseil supérieur de l'ordre des experts-comptables, l'Association des maires de France, les grandes entreprises publiques – France Télécom, Gaz de France…), ou encore dans des entreprises privées comme La Lyonnaise des eaux, qui ont tout intérêt à entretenir les meilleures relations avec les collectivités locales.

▬▬▬ La communication internationale

Comment imaginer vendre un produit avec le même message en France, en Asie, en Amérique latine et en Afrique ? Comment peut-on s'adresser de façon cohérente à tous les salariés d'un groupe lorsque celui-ci est implanté dans 40 pays ? La communication internationale n'est pas une simple affaire de traduction de messages publicitaires : il s'agit plutôt et surtout de trouver un langage et une démarche adaptés à chaque pays.

« Une mauvaise adaptation au pays, constate ce professionnel de la communication, peut aboutir à un échec cuisant. Il y a quelques années, un grand laboratoire a mis au point une molécule de synthèse contre la migraine, qui a la particularité de coûter très cher (200 F l'injection). Ce médicament mis tout d'abord sur le marché américain, arrive en Grande-Bretagne où il est reconnu, et obtient un coefficient de remboursement. Puis, il débarque en France, à l'américaine, avec grand déferlement d'argent, pour expliquer à tous les bienfaits du produit. Le laboratoire commence par convaincre la presse féminine, dont les lectrices représentent 70 % de la clientèle potentielle, puis fait une telle pression auprès des ministères pour obtenir les autorisations qu'il finit par agacer et effrayer avec ses méthodes de *cow-boy*. L'autorisation de mise sur le marché lui est accordée mais le médicament n'est toujours pas remboursé ! Des méthodes plus diplomates, mieux adaptées à la mentalité française auraient sans doute abouti. Des solutions innovantes auraient même pu être recherchées autour d'un tel produit : la participation des entreprises au financement, par exemple. Les migraines ne sont-elles pas cause fréquente d'absentéisme féminin ? »

LES OUTILS

Ont été classés parmi les outils tous les types de communication qui peuvent être utilisés dans chacun des secteurs qui viennent d'être décrits.

La communication graphique

Elle constitue un outil essentiel de la communication institutionnelle. Elle travaille à la détermination de la charte graphique et conçoit le logo de l'entreprise.

« Nous avons mis huit mois pour définir le logo de Framatome, se souvient Dogad Dogouy. Il faut aller chercher la culture profonde de l'entreprise, la décrire. Le logo, c'est la traduction graphique de ce que l'enquête aura révélé sur l'entreprise. » « Il m'a fallu trois ans, constate pour sa part Marie-France Bouilly, qui a créé le logo de l'Association des ingénieurs des villes de France, pour faire comprendre aux sections régionales l'importance d'utiliser un papier à en-tête commun pour créer une unité au niveau national. » Le rôle de la communication graphique est d'être à la fois un ciment en interne et un drapeau à l'extérieur.

Le parrainage

Outil précieux de la communication institutionnelle et interne, le parrainage, c'est-à-dire le mécénat et le sponsoring, concourt au modelage de l'identité de l'entreprise, dont il valorise l'image aux yeux du public et des salariés.

En interne, lorsque les salariés sont régulièrement informés et associés – voire impliqués – dans les opérations de mécénat et de sponsoring, ils développent un sentiment d'appartenance et de fierté favorable à une bonne dynamique d'entreprise. En externe, « cela fournit des occasions de se faire remarquer de façon favorable en dehors de son créneau, résume Anne-Marie Reder, responsable des relations extérieures et presse et directrice générale de la fondation Union européenne du CIC, qui apporte notamment son soutien aux bibliothèques universitaires. Cela montre que l'entreprise est attentive à la vie de la cité et à l'intérêt général. Cela rapporte en notoriété et en fierté d'appartenance. »

Même si le mécénat a la réputation de s'appuyer sur des intentions essentiellement philanthropiques, les objectifs des entreprises restent très prosaïques. Selon une enquête réalisée en 1998 par l'Union des annonceurs (UDA), 97 % des entreprises interrogées s'engagent dans des opérations de parrainage parce que « c'est utile pour elles », 66,5 % parce que « c'est noble et valorisant », 39 % parce que « leurs concurrents en font », mais rarement pour « se faire plaisir » (31 %) et encore moins « pour se déculpabiliser ». En réalité, 84 % de ces entreprises considèrent le parrainage comme une composante à part entière de leur stratégie. Pour 42,5 % d'entre elles, il s'agit principalement d'un mode de communication ; 27,5 % affirment une motivation citoyenne.

La crise les a rendues plus exigeantes encore sur leurs investissements et les retombées de ces opérations. 79 % des entreprises évaluent leurs actions… et près de 40 % d'entre elles suivent régulièrement les opérations de parrainage réalisées par leurs concurrents !

83 % des entreprises disposent pour les opérations de parrainage d'une structure spécifique. Dans 86 % des cas, il s'agit

LE PARRAINAGE DES ENTREPRISES

Depuis 1990, l'Union des annonceurs (UDA) mène régulièrement une enquête auprès d'un échantillon d'entreprises de toutes tailles et de tous secteurs. Ce tableau récapitule les domaines d'intervention des entreprises et l'évolution de leur investissement au cours des ans.

Domaines de parrainage	Passé	Présent	Futur
Sport	67 %	63 %	62 %
Culture	50 %	52 %	52 %
Causes humanitaires et sociales	42 %	42 %	43 %
Éducation, formation	23 %	27 %	37 %
Santé, recherche médicale	24 %	24 %	26 %
Audiovisuel (radio-télé)	25 %	19 %	26 %
Environnement	16 %	16 %	34 %
Patrimoine	11 %	12 %	18 %
Sciences, techniques	5 %	6 %	11 %
Exploit, aventure	10 %	4 %	8 %

d'un service interne rattaché à une direction (communication, marketing). Les autres font appel à des prestataires extérieurs, avec une prédilection pour les agences spécialisées en conception graphique (53 %), mais aussi pour des organisateurs-régisseurs d'événements (52 %), des agences de relations presse (51 %), des sociétés d'études (51 %), des agences de publicité (37 %), des agences de relations publiques (36 %), des agences spécialisées en parrainage (18 %), etc.

Le parrainage prend généralement la forme d'un s
cier ou encore d'une aide en nature. Les entreprise
fois une « fondation d'entreprise » par laquelle elles
pour au moins cinq ans, sur un programme d'activité
sements d'un million de francs au minimum.

La communication événementielle

Elle crée des événements pour un public interne à l'entreprise (conventions, stimulation des commerciaux…), un public externe très ciblé (des décideurs professionnels) ou le grand public (lancement de produits, manifestations sportives, culturelles ou humanitaires, expositions, etc.).

Très à la mode dans les années 80, la communication événementielle a souffert de la crise au début des années 90. Les professionnels ont dû prouver leur utilité et leur sérieux. « Maintenant, les annonceurs veulent des retombées au moins équivalentes à leurs dépenses, confirme un directeur d'agence événementielle. Ils veulent aller le plus près possible du consommateur ».

Selon l'**ANAÉ**, créée en 1994 et devenue syndicat professionnel en 1998, les agences événementielles ont connu en 1998, grâce notamment à la Coupe du monde de football, une année exceptionnelle avec une augmentation de 46 % de leurs résultats nets par rapport à 1997. Le passage à l'euro et à l'an 2000 n'a fait que confirmer cette croissance.

> **ANAÉ**
> **Association nationale des agences événementielles.**

La communication de crise

Une usine qui ferme dans une région sinistrée, un incendie dans une centrale nucléaire, une banque au bord de la faillite, un ministre ou un grand patron accusé de corruption, des vaches folles qui jettent le doute sur tous les produits alimentaires, un cas de listériose qui va ébranler une entreprise à la

LES AGENCES DE COMMUNICATION ÉVÉNEMENTIELLE

En 1999, l'Association nationale des agences événementielles (ANAÉ) a réalisé une étude qui constate notamment une tendance au regroupement des agences. En voici les principales conclusions.

Chiffres d'affaires (CA)

 Les agences se répartissent en trois catégories : les petites (CA inférieur à 20 millions de francs) représentent 57 % du nombre des agences et réalisent 14 % du CA global ; les moyennes (CA compris entre 20 et 50 MF), 29 % des agences, réalisent 28 % du CA global ; les grosses enfin, 14 % des agences, réalisent 57 % du CA global.

Localisation des opérations

 Région parisienne : 55 %
Régions françaises : 32 %
Étranger : 13 %.

Clients

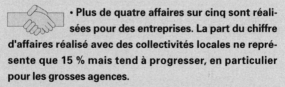 • Plus de quatre affaires sur cinq sont réalisées pour des entreprises. La part du chiffre d'affaires réalisé avec des collectivités locales ne représente que 15 % mais tend à progresser, en particulier pour les grosses agences.

• Dans 35 % des cas, l'interlocuteur est une direction de la communication, dans 44 % des cas s'il s'agit d'une petite agence.

• 52 % des opérations sont des opérations de communication interne.

réputation irréprochable, un pétrolier qui coule et largue son pétrole en mer… Qu'il s'agisse de faits réels ou de rumeurs lancées par la concurrence, on ne compte plus les scandales qui éclatent et menacent une entreprise, une filière économique, une saison touristique…

Les professionnels de la communication de crise interviennent souvent comme des pompiers – sans la sirène ! – dans l'urgence. Lorsque le drame éclate, ils réunissent tous les responsables stratégiques ou techniques de l'entreprise pour organiser la réaction : doit-on parler ou se taire ? Si l'on décide de parler, qui doit prendre la parole ? Que peut-on dire, à qui, comment ? Doit-on enlever par exemple des millions de produits du marché si l'on a un doute sur quelques-uns au risque d'affoler les consommateurs ou bien doit-on attendre ?

La réponse à la crise est donc vitale pour l'avenir de l'entreprise. Mal gérée, elle peut lui coûter la vie. C'est pourquoi les entreprises les plus menacées (agroalimentaire, transports, produits chimiques, nucléaire, santé…) se forment préventivement aux techniques de la communication de crise.

« Nous commençons par procéder à un audit, explique Xavier Delacroix, qui a notamment "géré" en 1990 le problème du benzène dans l'eau Perrier chez Burson-Marsteller. Nous interrogeons des salariés de l'entreprise à tous les niveaux hiérarchiques et leur demandons leur avis sur les risques encourus par l'entreprise et sa capacité à y répondre. Le rapport remis à la direction générale souligne les failles à combler, les investissements qu'il serait judicieux de réaliser. Enfin, nous organisons des simulations de crise. Nous jouons le rôle du journaliste, du député, de la mère de famille angoissée, et nous observons les réactions de la structure mise en place. »

La crise peut intervenir dans tous les domaines de l'entreprise : en communication interne (du mouvement de mauvaise humeur à la grève généralisée) ; en communication financière

COMMENT COMMUNIQUENT LES ENTREPRISES ?

En moyenne, les entreprises utilisent neuf types de communication. Ce tableau indique leurs préférences. Il illustre aussi les grandes tendances qui ont traversé la décennie. Ainsi la communication institutionnelle prend la première place et le multimédia fait une entrée fracassante. Le *lobbying* et la communication internationale enregistrent une progression spectaculaire.

Type de communication	1988	1992	1995	1997
Relations publiques	–	80 %	87 %	86 %
Communication institutionnelle	84 %	76 %	84 %	88 %
Communication interne	88 %	83 %	83 %	82 %
Identité visuelle	–	74 %	76 %	78 %
Événementiel	73 %	73 %	69 %	72 %
Audiovisuel d'entreprise	–	71 %	61 %	62 %
Parrainage	–	44 %	59 %	63 %
Multimédia	–	–	–	60 %
Communication du président	70 %	52 %	58 %	57 %
Communication de recrutement	67 %	55 %	50 %	48 %
Communication financière	55 %	45 %	47 %	48 %
Communication de crise	–	27 %	40 %	43 %
Communication internationale	–	–	39 %	48 %
Lobbying	–	26 %	28 %	34 %

Source : Union des annonceurs (UDA), 1997.

(de la flambée des cours au rachat de l'entreprise); en communication « produit » (du consommateur indisposé à l'interdiction du produit). Les entreprises qui doivent licencier mais souhaitent néanmoins préserver leur image, utilisent aussi la **communication de crise**. « Il faut s'y prendre dix-huit mois à l'avance, explique Thierry Lefébure, pour lancer l'information avant que la rumeur ne s'en mêle. On prévient le directeur départemental du travail et de l'emploi, le préfet, le sous-préfet, les élus, et on explique pourquoi on doit licencier. Si un patron ferme brutalement son entreprise en laissant 600 salariés à la rue, il perd beaucoup en terme d'image et d'argent. Or, il est possible de bien préparer sa sortie dans l'élaboration du dossier de dépôt de bilan, de négocier avec les pouvoirs publics, d'essayer de monter un système de rachat total ou partiel par les salariés, de discuter avec les syndicats et de chercher des solutions pour les salariés. On peut aussi essayer de revendre l'outil industriel pour recréer une autre activité économique. Mais si les équipes sont traumatisées par une annonce brutale, occupent l'usine, cassent le matériel et crachent sur le patron, cela devient très difficile ! »

> **COMMUNICATION DE CRISE**
> Lorsque le travail vise à prévenir la crise, les agences préfèrent parler de « communication sensible ».

▰▰▰ Les relations presse

Il s'agit de la technique la plus connue et la plus utilisée en relations publiques. Journalistes de la presse grand public ou spécialisée constituent des leaders d'opinion, indispensables courroies de transmission entre l'entreprise et les différentes cibles : consommateurs, financiers, clients professionnels, associations, syndicats, élus…

Les relations presse présentent plusieurs avantages. Moins chères que les publicités, elles les surpassent aussi en crédibilité : un bon article élogieux écrit par un journaliste impartial aura plus d'impact sur le lecteur qu'une publicité. Bien préparées,

LE BOOM DES SITES *CORPORATE*

L'UDA a envoyé un questionnaire concernant les sites *corporate* ou institutionnels aux responsables de communication des 1 500 premières entreprises françaises, excluant les sites commerciaux. 223 entreprises ont répondu. Voici un extrait des résultats de cette enquête parue sous le titre « Internet, Intranet et communication *corporate* - 2000 ».

L'équipement des salariés

• 75 % des salariés ont un micro-ordinateur. L'accès direct à la messagerie est très pratiqué, celui à Internet est plus limité.

La présence des entreprises sur le Net

• 78,4 % des entreprises qui ont répondu ont un site *corporate*, dont 38,4 % ont plus de deux ans.
• Les entreprises françaises se sont lancées plus tard que les multinationales, puisque leur site a généralement moins d'un an.
• Les entreprises qui ne sont pas encore équipées ont dans leur grande majorité, l'intention de rattraper leur retard dans l'année.

La gestion des sites

• La décision de créer un site est prise conjointement par la présidence de l'entreprise et la direction de la communication.
• Dans 69, 3 % des cas, c'est la direction de la communication qui gère le site.
• 63,7 % des entreprises affectent au maximum deux personnes à la gestion de leur site, 32,7 % entre trois et dix personnes.
• Seules 26 % des entreprises ont créé un service dédié à la gestion de leur site : 60,4 % sont rattachés à la direction de la communication.

Le contenu des sites

• Seuls 35,4 % des sites *corporate* ne sont qu'en français. 60,5 % des entreprises reprennent leur plaquette de présentation, 47,9 % leur rapport annuel, 50,3 % utilisent leur documentation commerciale.

• 75 % offrent la possibilité de poser des questions à l'entreprise.

• À l'avenir, les maisons mères développeront plus la communication internationale, le recrutement et la communication de crise, tandis que les entreprises implantées uniquement en France se concentreront sur la communication interne.

La veille

• 82,6 % des entreprises observent les sites des concurrents, mais à peine plus de 50 % d'entre elles cherchent à savoir si on parle de leur entreprise sur le Net.

elles permettent de diffuser une information régulière très ciblée bien adaptée au journal, au contexte, aux lecteurs.

Les publirédactionnels ou publireportages, qui présentent un produit ou un service sous la forme d'un article de presse, sont également une technique en pleine expansion. Certaines agences de communication écrite se sont d'ailleurs spécialisées dans le créneau. À la télévision, le procédé a pris le nom « d'infomerciale » (contraction de « information » et « commerciale ») et consiste à faire cautionner le produit par une personnalité connue (les lessives Ariel par Christine Bravo, les téléviseurs Philips par Daniel Gélin)…

▬▬ Internet

En 1997, Internet faisait une apparition encore timide dans les enquêtes des organismes qui scrutent régulièrement le milieu de la communication. L'Union des annonceurs (UDA) signalait que 60 % des entreprises interrogées utilisaient le multimédia pour leur communication d'entreprise, tandis que l'Association des agences conseils en communication (AACC) indiquait la même année que 0,4 % des dépenses de communication des annonceurs lui étaient consacrées.

En 2000, la France qui faisait jusqu'ici figure de retardataire a mis les bouchées doubles : Internet est complètement rentré dans les mœurs. Un problème sur un jeu vidéo ? Un petit clic sur le site Nintendo et n'importe quel gamin de huit ans revient avec les « soluces ». Un exposé au collège ou au lycée, une recherche pour un mémoire ou une thèse ? Internet répond présent. Besoins de renseignements sur une entreprise avant de postuler un stage ou un emploi : là encore, l'internaute candidat trouvera une mine de renseignements qui lui permettront de savoir exactement à qui il a affaire. Les entreprises ont en effet mis en ligne des sites d'une grande richesse : description très précise de l'organigramme et des activités de l'entreprise, services variés, possibilité d'acheter en ligne, etc.

Sites Internet. Les agences voient la demande de développement de sites Internet augmenter considérablement dans le cadre de la communication externe des entreprises. Pour répondre à cette demande, de nombreuses agences se sont spécialisées dans ce domaine. C'est le cas de l'agence Aromates, experte dans les nouvelles technologies de l'information. En effet, rares sont les entreprises qui possèdent cette qualification dans leur propre service de communication. Elles font donc appel à des sous-traitants.

E-business. En France, Internet se développe surtout dans le cadre des approches clients, des services *on line* et comme outil de marketing. Selon Philippe Legendre de l'Association des agences conseils en communication (AACC), « ce sont surtout le marketing direct, le commerce électronique et la publicité en ligne qui se développent avec cet outil. » De plus en plus, informaticiens et communicants vont être amenés à travailler ensemble. Si les recruteurs ne cherchent absolument pas de double qualification, une culture informatique et un état d'esprit « réseaux » constituent déjà des atouts.

POUR ALLER PLUS LOIN ➤

Communication interne
• Association française de communication interne (AFCI), 108, boulevard Galliéni, 92130 Issy-les-Moulineaux, tél. 01.47.36.90.51.
• Union des journaux et journalistes d'entreprise de France (UJJEF), 420, rue Saint-Honoré, 75008 Paris, tél. 01.47.03.68.00 ; site Internet : ujjef.com

Lobbying
• Association française des conseils en lobbying (AFCL), 105, bd Haussman, 75008 Paris, tél. 01.47.42.53.00.
• Association pour les relations avec les pouvoirs publics, 31, rue du Général-Foy, 75008 Paris, tél. 01.44.90.31.38.

Mécénat et sponsoring
• Association pour le développement du mécénat industriel et commercial (ADMICAL), 16, rue Girardon, 75018 Paris, tél. 01.42.55.20.01 ; site Internet : admical.org

Communication événementielle
• Association nationale des agences événementielles (ANAÉ), 126, rue du Faubourg-Saint-Denis, 75010 Paris, tél. 01.40.05.52.00 ; site Internet : anae.org
• *L'Événementiel*, 86, rue du Président-Wilson, 92300 Levallois-Perret, tél. 01.41.27.16.33. Mensuel. Publie aussi Le Guide des professionnels de l'événement (agences et prestataires de services).

LA COMMUNICATION EN ENTREPRISE

Assurances, banques, industries, laboratoires pharmaceutiques… peu à peu, ils y sont tous venus. Du service structuré employant plusieurs dizaines de personnes à l'équipe légère d'une ou deux personnes en passant par un seul salarié ou le patron lui-même qui « fait fonction de… » en s'appuyant parfois sur une aide extérieure ponctuelle, la communication a trouvé dans l'entreprise son incontestable terrain d'application. Les aléas économiques en ont modifié le profil, mais ne l'ont pas remise en cause.

UNE COMMUNICATION À GÉOMÉTRIE VARIABLE

En 1997, l'Union des annonceurs (UDA) a réalisé une enquête auprès de 300 services de communication de grandes entreprises françaises. 27 % des services avaient moins de cinq ans, 35 % entre six et dix ans et 38 % plus de dix ans. L'enquête distingue quatre types de services.

• **Les unités,** les plus petits départements de communication, emploient une ou deux personnes. Elles concernent 36 % des entreprises de l'échantillon (contre 31 % en 1992), notamment celles de moins de 500 salariés. Elles se consacrent surtout à la communication interne, aux relations publiques et en particulier aux relations avec les journalistes. Si elles sous-traitent, elles s'adressent à des agences de communication globale. En général, leur responsable est une femme jeune et son salaire est peu élevé.

• **Les cellules** (30 % des cas) regroupent de trois à cinq personnes. Elles se trouvent généralement dans des entreprises à budget moyen. Le responsable trouve sa fonction plus éclatée qu'il y a deux ans, gagne entre 350 et 500 KF et souhaite développer le hors-média.

• **Les équipes,** constituées de six à quinze personnes, existent dans des entreprises comptant de 5 000 à 25 000 salariés et sont présentes dans 21 % des entreprises de l'échantillon (contre 25 % en 1992). Elles suivent une stratégie sur des actions spécifiques et disposent d'un budget variant de 10 à 50 millions de francs. Le responsable est généralement un homme, âgé de 45 à 54 ans…

• **Les directions** comptent plus de 15 personnes dans de très grandes entreprises (plus de 25 000 salariés, avec un chiffre d'affaires de plus de 20 milliards de francs), et travaillant avec de gros moyens (budget de plus de 25 millions de francs). Elles représentent 13 % de l'échantillon. Elles suivent une stratégie bien définie et pratiquent surtout le *lobbying* et la communication de crise. Néanmoins, les communications interne, financière et institutionnelle se sont développées ainsi que les outils de mesure.

Au-delà des statistiques et de la typologie établies par l'UDA, il est toutefois intéressant de noter que dans l'entreprise le terme de « direction » signifie généralement que la communication est rattachée directement à la direction générale ou à la présidence et qu'elle participe à la définition de la stratégie de l'entreprise comme les autres directions. En revanche, les « services » de communication jouent un rôle beaucoup plus tactique ou technique, la fonction stratégique étant dans ce cas assumée par la direction générale ou confiée à une agence extérieure.

LA COM' DANS L'ENTREPRISE

Traditionnellement, et avant l'avènement du dircom, la fonction communication était très éclatée dans l'entreprise : le directeur du marketing gérait la pub, le directeur des ressources humaines (DRH) la communication interne, le directeur financier la communication financière… Un service de presse ou de RP

LE RETOUR DES SOUS-TRAITANTS

L'enquête réalisée par l'Union des annonceurs (UDA) auprès des services de communication de plus de 300 entreprises relève en 1997 une augmentation du recours à des prestataires extérieurs. En moyenne, les services de communication travaillent avec quatre ou cinq sous-traitants réguliers.

Type de sous-traitants	1988	1992	1995	1997
Agence de publicité ou de communication globale	65 %	50 %	60 %	59 %
Prestataire en édition	77 %	52 %	59 %	58 %
Prestataire en *design*-création graphique	24 %	35 %	55 %	51 %
Prestataire en audiovisuel	57 %	32 %	45 %	49 %
Prestataire en événementiel	13 %	16 %	33 %	34 %
Centrale d'achat d'espaces	22 %	27 %	34 %	32 %
Prestataire en multimédia	–	–	–	32 %
Prestataire en relations publiques	19 %	25 %	27 %	25 %
Société d'études	34 %	17 %	30 %	22 %
Conseil en communication	31 %	22 %	19 %	21 %
Agence de publicité *business to business*	–	14 %	17 %	18 %
Agence de publicité financière	23 %	15 %	15 %	18 %
Agence de publicité *corporate*	–	7 %	10 %	15 %
Prestataire en communication de crise	–	–	10 %	10 %
Prestataire en parrainage (sponsoring et/ou mécenat)	6 %	2 %	13 %	8 %
Prestataire en *lobbying*	–	–	6 %	5 %

s'occupait des relations avec la presse ou d'organiser des salons. Puis, peu à peu, s'est imposée l'idée d'apporter à ce schéma un peu plus de cohérence. Selon les lois bien connues du balancier, on est alors parfois passé à une extrême concentration. On a vu éclore, dans les années 80, de très grandes directions de la communication avec leurs propres services techniques intégrés (photographes, studios de vidéo, imprimerie…) qui coiffaient tous les aspects de la communication.

Des équipes fixes et modestes et des prestataires extérieurs

Cette organisation n'a pas résisté aux réductions budgétaires du début des années 90. La plupart de ces entreprises ont renoncé à leurs photographes, cinéastes, maquettistes, imprimeurs, et sous-traitent désormais ces activités. On a vu ainsi des directions de la communication perdre plus du tiers de leurs effectifs en cinq ans. Mais ce déficit ne répond pas nécessairement à une volonté de moins communiquer. Il s'agit souvent de décentraliser la communication en musclant les équipes de communication des branches plus proches du produit.

L'ère des réseaux

La direction de la communication tend donc à s'alléger et à se décentraliser en faisant appel à des **prestataires** extérieurs bien sûr, mais aussi par la constitution de réseaux. En externe comme en interne, le bon dircom doit diffuser son savoir-faire et réveiller le communicant qui sommeille en chacun. Cette formation à la communication concerne tout particulièrement les patrons d'entreprise, qui peuvent un jour ou l'autre se retrouver devant une caméra pour annoncer d'excellents résultats ou, au contraire, pour se défendre d'une quelconque accusation, les cadres qui par

> **PRESTATAIRES**
> Pour réaliser leur site Internet, 56,2 % des entreprises font appel à un créateur de site et 52,4 % s'adressent à une agence spécialisée (sachant qu'elles utilisent parfois les deux). Enquête UDA.

leurs fonctions constituent les meilleurs relais de l'information dans l'entreprise, les dirigeants des filiales, etc.

TROIS EXEMPLES D'ORGANISATION

Nous avons choisi de vous présenter trois groupes de taille différente : chacun d'eux illustre la grande concentration et l'impératif de cohérence de la communication.

Le groupe Tati

Le groupe Tati a été créé en 1948 et emploie aujourd'hui en France et dans ses partenariats à l'étranger, environ 1 600 personnes. L'essentiel de la communication est géré par un département centralisé qui regroupe un directeur de la communication, une assistante qui s'occupe également du site Internet et une responsable des relations presse. Ils travaillent également avec un service PLV (promotion sur le lieu de vente) qui comprend un responsable et un graphiste.

Le groupe a créé depuis peu trois nouvelles filiales : Tati Or, Tati Optic et Tati Vacances. Il s'est donc associé des spécialistes de chaque domaine qui ont une certaine marge de manœuvre en matière de communication, mais restent attachés à la direction centrale, qui veille à l'harmonisation globale de l'image Tati.

Le service export, qui emploie en France une dizaine de personnes rattachées à différents pays, supervise également la cohérence de la communication du groupe au niveau international.

Le groupe Danone

Grand groupe agroalimentaire, Danone emploie au total 76 000 salariés, dont 1 600 en France. La communication est très centralisée et dépend directement de la direction de la communication *corporate* du groupe. Environ quinze personnes travaillent au sein de cinq départements différents : la communication interne, la communication externe, la communication financière, le département graphisme reprographie, et la gestion de l'information.

Le groupe comprend plusieurs marques, dont Danone, Lu et Évian, qui regroupent également plusieurs sous-marques. Chacune est dirigée par un directeur marketing qui doit consulter, pour toutes ses décisions de communication, la direction *corporate*. Le marketing est géré avec des agences de publicité, ainsi le lancement des différents produits est assuré avec une certaine indépendance. Mais là encore, il faut passer par le *corporate* pour toutes les relations presse.

Dans les pays étrangers, le groupe fait appel à des agences externes pour des événements ponctuels, mais la stratégie globale est également assurée par la direction de la communication du groupe.

▰▰▰ Le groupe Casino

Le groupe Casino possède sa propre direction de la communication, divisée en trois départements : la communication financière, la communication interne et la communication institutionnelle (relations presse, mécénat et sponsoring). Dix personnes y travaillent au total. Les quatre branches commerciales (Casino, Petit Casino, hypermarché Géant, Cafétéria) sont toutes rattachées à des directions opérationnelles qui s'assurent de la cohérence globale entre l'image de chaque enseigne et celle du groupe. Les directions de la communication spécifiques à chaque branche s'occupent alors des mailings et campagnes publicitaires pour les magasins dont elles ont la charge.

Le groupe Casino est aussi présent dans douze pays, des États-Unis à l'Asie, en passant par le Venezuela. Parmi les 85 000 employés du groupe, 14 000 travaillent à l'international. C'est une direction opérationnelle internationale, basée en France, qui gère la communication des enseignes dans les différents pays.

LA COMMUNICATION EN AGENCE

Il existe en France plus de 3 700 agences de communication : agences de publicité, de communication d'entreprise, de marketing direct, etc. Il s'avère cependant difficile de déterminer leur nombre exact ; la liberté totale d'installation (aucun diplôme ni autorisation particulière ne sont nécessaires pour se déclarer « conseil en communication ») et la multitude de microstructures disséminées sur tout le territoire ne facilitent pas la comptabilité des agences de communication.

Elles se caractérisent en effet par une extrême diversité : de grands groupes aux ramifications internationales côtoient de petites structures fonctionnant avec deux ou trois personnes. Depuis ces dernières années, les grands groupes ont tendance à racheter les petites structures, notamment celles spécialisées dans un domaine extrêmement pointu, de manière à pouvoir conjuguer tous les modes de communication avec l'ensemble des outils : publicité, relations publiques, communication écrite, etc.

LA PUBLICITÉ SÉDUITE PAR LES RELATIONS PUBLIQUES

Guerre du Golfe, récession économique, lois Évin et Sapin : vous l'avez compris, ces mots rappellent aux publicitaires leurs pires cauchemars ! La chute des budgets de communication amène les agences de publicité à s'intéresser aux relations publiques, technique moins onéreuse…

« Les agences de publicité qui se considéraient comme l'élite de la communication ont dû prendre du recul, se montrer plus humbles et reconsidérer leur vision des relations publiques », constate cette professionnelle. « Les relations publiques existent

L'EMPLOI EN AGENCE

Les agences de communication emploient selon l'Association des agences conseils en communication (AAAC) environ 18 000 salariés.

Après une période difficile entre 1992 et 1994, les agences se portent mieux depuis 1995. Elles connaissent une croissance de 3 % à 4 % l'an et le recrutement est reparti doucement avec une progression de 1 à 2 % par an. Les dépenses des annonceurs n'ont cessé d'augmenter. Les professionnels prévoient une hausse de 5,5 % des investissements pour 1998. En 2000, 30 % des dépenses ont été consacrées au marketing direct. L'emploi dans les agences est fortement féminisé, plus de la moitié a le statut cadre et la moyenne d'âge est de 30 ans. Les postes de créatif et de commercial représentent 58 % de l'effectif total.

depuis vingt ans, mais on n'a pas su se vendre, regrette un autre. Les publicitaires ne s'intéressaient pas aux relations publiques avant que la crise ne vienne leur en montrer l'intérêt. » En effet, pour conserver certains budgets qui menaçaient de leur échapper, de nombreuses agences de publicité ont élargi leurs activités, par l'acquisition de filiales ou départements de relations publiques.

Déjà, la plupart des grandes agences de communication se trouvent liées à un groupe publicitaire : Burson-Marsteller (Young & Rubicam) ; Hill and Knowlton Actis (WPP-Ogilvy et Mather) ; Moreau Lascombe GCI (GCI Group) ; BDDP Corporate… Ces grands groupes peuvent présenter la palette de communication la plus complète (de la publicité aux relations presse en passant par toutes les déclinaisons de la communication d'entreprise, sans oublier le multimédia) et tissent leur réseau tout autour de la planète pour répondre au besoin croissant de communication internationale de leurs clients.

Les agences ont répondu aux défis posés par la crise en élargissant leurs compétences et les services offerts aux entreprises clientes. Elles se veulent aujourd'hui des partenaires indispensables et proposent toutes les techniques de communication. La création du groupe BDDP Corporate à la fin du mois d'avril 1997 illustrait déjà cette tendance. Regroupement de six agences spécialisées dans la communication d'entreprises – financière, interne, d'entreprise à entreprise, événementielle, presse d'entreprises et multimédia –, BDDP Corporate était devenu l'un des principaux groupes de communication européen. En 1999, le premier groupe de communication en France est Havas Advertising avec une marge brute de 2 323,1 millions de francs.

MISSIONS À LA CARTE

Les entreprises confient les tâches les plus variées aux agences. Il peut s'agir d'une mission ponctuelle : organiser une convention, réaliser un journal d'entreprise, accompagner le lancement d'un produit par des relations presse ou la création d'un événement… L'agence choisie pour sa compétence, son expérience dans le domaine et… la compétitivité de son devis, travaille comme prestataire de services avec un directeur ou un responsable de la communication dans l'entreprise.

Quand les entreprises recherchent un conseil extérieur, l'agence peut procéder à un véritable audit de la communication. Comment se situe l'entreprise ? Quelle est son image auprès de ses salariés et de ses différentes cibles externes ? L'agence remet ses conclusions, analyses et propositions à l'entreprise qui peut accepter tout ou partie de ses recommandations.

Cette fonction de conseil extérieur est de plus en plus valorisée. « Dans les années 80, rappelle Philippe Hardouin, président

QUE DÉLÈGUENT LES ENTREPRISES AUX AGENCES ?

Selon une enquête de l'Union des annonceurs (UDA), en octobre 1999, plus d'un tiers des entreprises françaises n'emploient jamais les services d'une agence de RP. 55 % d'entre elles y ont recours ponctuellement pour certaines techniques de communication.

Études et audits de communication

42 %

Conseil stratégique

38 %

Communication marques et produits

20 %

Communication institutionnelle

20 %

Relations avec les médias

14 %

d'Entreprises & Médias (*CB News*, juin 2000), le dircom avait un regard extérieur. Maintenant qu'il est l'un des dirigeants fonctionnels de l'entreprise, il a souvent perdu cette capacité à prendre du recul. Là, le rôle de l'agence peut être intéressant, si elle accepte de le faire, car il faut être courageux et pouvoir dire des choses qui peuvent remettre en cause ses propres prestations. Cette valeur ajoutée n'est pas assez utilisée. »

STRUCTURES À LA CARTE

Plongez dans le monde des agences : vous y trouverez de tout ! Des grandes (deux ou trois centaines de salariés), des moyennes (de 10 à 20 salariés) et des petites structures qui fonctionnent avec une ou deux personnes. Des généralistes qui proposent tous les types de communication à leurs clients comme des agences très spécialisées, soit dans une technique particulière (relations presse, *lobbying*, création d'événements, communication financière, journaux d'entreprise, multimédia…), soit dans un domaine d'activité (industrie, mode, tourisme, édition…).

Au sein des agences, plusieurs types d'organisation sont possibles. Nous vous présentons quelques exemples pour vous en montrer la diversité. Mais ces modes de fonctionnement ne sont pas figés dans le temps. Les agences vivent, évoluent avec leurs clients et cherchent constamment à adapter leurs structures aux demandes et aux besoins des entreprises.

▬▬ Visites éclair dans quatre agences

• **AB3C** compte six salariés. Annie Blin, directrice-gérante s'occupe du développement commercial de l'agence et du suivi des gros dossiers. Jean-Patrick Blin a pris en charge la gestion, la logistique et le recrutement. L'agence emploie quatre chargés de dossiers dont trois se répartissent les clients en fonction de leurs affinités et de leurs disponibilités et l'un assure les missions d'édition, de rédaction et de conception (sites Web, *news letters*, dossiers de presse, dépliants, etc.).

• **Burson-Marsteller,** dirigée par Jean-Pierre Rousset, appartient au groupe Young & Rubicam France. Elle emploie environ 60 salariés. Un département marketing absorbe une grosse partie des équipes (accompagnement du produit, réflexion sur les messages qui vont être transmis aux journalistes, création d'événements, *business to business*, haute technologie et e-commerce). Le département de communication institutionnelle et financière – « département *corporate* » – ne s'intéresse pas au produit mais à l'image. Le département « affaires publiques » est spécialisé en *lobbying*, communication sensible et communication de crise. Enfin, deux départements travaillent de façon transversale : un département « recherches » (études, sondages, analyses de

LES ACTIVITÉS ET LES CLIENTS DES AGENCES

Le Syntec Relations publiques a réalisé en 1998 une enquête auprès de 36 agences dont la moyenne d'âge est d'environ 12 ans. Ses conclusions, sans prétendre à décrire de façon exhaustive le marché, donnent des indications sur les activités et les clients des agences.

Les activités des agences de communication

Communication produits et marques	36 %
Communication institutionnelle externe	31 %
Communication spécialisée	12 %
Communication interne	6 %
Communication de crise	6 %
Communication financière	5 %
Communication pouvoirs publics	4 %

Les clients des agences de communication

Énergie et industrie lourde	16 %
Commerce et distribution (gros et détail)	15 %
Agriculture, pêche et industrie agroalimentaire	15 %
Équipements ménagers et consommation courante	13 %
Transports, Télécom, Poste	12 %
Services marchands divers	11 %
Banques et assurances	5 %
Services non marchands	5 %
Ministères et administrations	4 %
Bâtiment et travaux publics	2 %
Collectivités territoriales	2 %

presse…) et un département « création et *corporate design* »
(publication, rapports annuels, presse d'entreprise…).

• **Le groupe I et E,** dirigé par Jean-Pierre Beaudoin et Tristan
Follin, comprend l'agence I et E Consultants, I et E
Expressions (conceptions et production de moyens d'expression de l'entreprise : édition, journaux d'entreprise, relations
avec les médias, communication directe), I et E Décisions
(recherche et analyse en communication), I et E Services (services généraux). Pour répondre aux besoins de ses clients, elle
coopère avec un ensemble d'agences en Europe, aux États-
Unis et en Asie, notamment au sein de trois réseaux d'agences
indépendantes. Le groupe I et E compte 160 personnes.

• **Le Public Système,** issu de la fusion en 1995 de Promo 2000
et Délires, est dirigé par Lionel Chouchan. En 2000, cette
agence indépendante emploie 200 personnes : des responsables
de projets, des chargés de dossiers, des chargés de développement, de la stratégie/création, de la production et des aspects
administratifs et financiers.

LA COMMUNICATION PUBLIQUE

La communication publique émane du président de la République, du gouvernement, des collectivités locales ou encore des entreprises publiques. Elle utilise les mêmes techniques que la communication d'entreprise, mais elle se distingue de celle-ci par son extraordinaire complexité (les exigences des clients du secteur public sont à la hauteur de leurs multiples casquettes : contribuables, électeurs, actionnaires…) et les rapports qu'elle entretient avec le pouvoir politique.

Dans tous les cas, le **grand défi** de la communication publique consiste à échapper à la tutelle politique dont elle dépend. Lorsqu'elle exprime « la voix de son maître » telle qu'elle a pu exister dans les années soixante, elle entame la crédibilité de son administration ou de son institution et la rend très vulnérable aux aléas politiques. Elle doit s'attacher à tracer des frontières claires entre ce qui relève de la communication du maire ou du ministre et ce qui relève de la communication de la collectivité locale ou de l'administration.

> **GRAND DÉFI**
> Information des citoyens, pérennité des institutions, lutte contre la drogue, le sida, l'exclusion, l'avenir des retraites, l'Éducation nationale, la Sécurité routière…

LA COMMUNICATION GOUVERNEMENTALE

Émis par les gouvernements, les ministères, certains organismes spécialisés, ses messages s'adressent aux citoyens. Ses missions et ses principes distinguent cette forme de communication de la communication d'entreprise. Il ne s'agit pas pour elle de stimuler le désir d'achat, mais de sensibiliser les citoyens aux grands problèmes sociaux et de faire évoluer leurs comportements dans l'intérêt général de la société. En 1997, 66 campagnes d'information générale ont été mises en œuvre par 25 ministères pour un budget global de 272 millions de francs. La communication publique présente des particularités au niveau de la cible, du message, du rapport au temps et de la mesure des résultats.

La cible. En communication d'entreprise, les cibles sont claires : les clients, les financiers, les pouvoirs publics… En communication publique, il y a toujours deux cibles : les gens concernés par les mesures prises et tout le reste de la population à qui il faut faire savoir que le gouvernement fait bien son travail. C'est pourquoi la télévision, média de masse, joue un grand rôle.

Le message. En communication d'entreprise, le message arrive relativement conforme au public. En communication publique, il est volontairement brouillé par les divers adversaires politiques.

Le rapport au temps. Communication publique et communication d'entreprise n'ont pas la même notion du temps. Pour l'État, le court terme, c'est la semaine, le moyen terme, le mois. Au-delà, c'est déjà le long terme. Le suivi dans l'action reste limité, excepté pour les campagnes de modification de comportement (prévention routière, par exemple) pour lesquelles on parvient à définir des stratégies qui intègrent bien le temps et les moyens.

La mesure des résultats. La communication d'entreprise mesure beaucoup son action. La communication gouvernementale aussi (sondages…), mais les collectivités locales ne procèdent que très rarement à une évaluation de leurs actions.

▬▬ Les acteurs de la communication gouvernementale

Le porte-parole du gouvernement est nommé par le Premier ministre. Il rend compte des travaux du Conseil des ministres et peut intervenir sur l'ensemble de la politique menée par le gouvernement.

Le Service d'information du gouvernement (SIG) informe le gouvernement, communique sur ses actions et coordonne les communications des ministères. Ses *best-sellers* : *La Lettre de Matignon* (projets de lois et mesures gouvernementales expliqués aux ministères et élus) et *Le MédiaSid* (répertorie 3 500 noms de la communication et des médias). Effectif : une centaine de salariés.

Les services de communication des ministères sont chapeautés par le conseiller technique chargé de la communication au cabinet du ministre. Ce conseiller a un rôle politique : il gère l'image de son ministre et définit les grandes orientations de communication. Les services de communication des ministères mettent en œuvre cette politique et apportent au cabinet un soutien logistique : constitution de revues de presse, réalisation de lettres ou de journaux d'information, préparation de dossiers de presse, de conférences de presse et de documents utilisés par le ministre en déplacement. Parallèlement, ils doivent gérer l'image de l'institution en externe comme en interne et garantir, par leur action à long terme, la pérennité du service public. Certains services de communication sont gigantesques et peuvent compter plusieurs centaines de salariés.

Les services spécialisés comme le Comité français d'éducation pour la santé (CFES), la Direction de la Sécurité et de la circulation routière (DSCR)… organisent, sous l'impulsion du ministre de tutelle, de grandes campagnes de communication visant à la modification des comportements individuels dans l'intérêt de la collectivité.

L'information administrative épaule l'information gouvernementale dans sa mission d'information du citoyen. Elle dispose d'outils comme le *Journal officiel*, la Documentation française, la Commission de coordination de la documentation administrative

(CCDA), les Centres interministériels de renseignements administratifs (CIRA)…

LA COMMUNICATION DES COLLECTIVITÉS TERRITORIALES

La décentralisation a stimulé la communication des collectivités locales. Dotées de pouvoirs élargis et distincts, les différentes entités locales (communes, départements, régions) ont éprouvé peu à peu le besoin d'affirmer leur identité et leurs compétences. Création de logos, diffusion de journaux municipaux et départementaux, panneaux d'information sur les chantiers (qui finance quoi ?), organisation d'événements, parrainage de manifestations… La communication locale s'est dotée de vrais budgets.

Pour André Hartereau, auteur d'un livre sur le sujet et qui a été coordonnateur national pédagogique au Centre national de la fonction publique territoriale (CNFPT), « la communication territoriale s'organise autour de quatre axes stratégiques : informer localement; promouvoir la collectivité et ses services; mobiliser l'institution et ses acteurs; renforcer la cohésion sociale ».

De la propagande à l'information

En 1999, selon une étude commandée par l'association Communication publique, 61 % des Français trouvaient légitimes les campagnes de publicité des services publics (mais 38 % pensaient toutefois qu'il était anormal de gaspiller ainsi l'argent public). Si les brochures et les magazines étaient appréciés pour l'information sur la vie de la commune, l'information dispensée par les agents au guichet restait selon les personnes interrogées la source la plus utile et la plus efficace ! Les journaux municipaux amélioraient cependant leur image parmi les lecteurs : en 1992, 69 % d'entre eux estimaient que ces efforts servaient à positiver l'image des élus; en 1999, ils n'étaient plus que 32 % à le penser. Globalement satisfaits de l'évolution de la communication publique ces dernières années, les Français seraient malgré tout 52 % à la trouver plus politisée, 36 % plus technocratique… et 32 % à la trouver moins attentive à leur situation ! Il reste donc difficile pour les collectivités locales de gérer ce double aspect propagande/information. De plus, ce sont deux entités qui communiquent en même temps et sur le même support : le maire/la municipalité ; le président du conseil général/le conseil général ; le président du conseil régional/le conseil régional. Schématiquement, l'une défend une image personnelle, des choix et des stratégies politiques, l'autre s'attache à valoriser une institution en informant la population de ce qu'elle fait pour elle (rénovation urbaine, amélioration du cadre de vie), mais aussi de ses droits ou de ses devoirs (campagnes locales d'incitation à la vaccination, de protection de l'environnement…).

Mais les exigences de plus en plus élevées des citoyens et des associations qui les représentent (associations de locataires, de parents d'élèves…) et le peu de crédit qu'ils apportaient à une information manifestement partisane ont amené les collectivités locales à s'efforcer de différencier, dans leur communication, **le politique de l'institutionnel**.

> **LE POLITIQUE ET L'INSTITUTIONNEL**
> Les deux s'enchevêtrent puisque l'homme construit aussi sa notoriété sur les réalisations de l'institution.

La métamorphose la plus spectaculaire concerne le journal municipal. Autrefois feuille de chou à la mine austère, il ressemble souvent aujourd'hui à un véritable magazine. Il se veut désormais plus proche de l'expression des gens, de leurs préoccupations, de leurs réalisations, qu'un simple écho de la pensée municipale. Il se professionnalise, utilise les services de journalistes et de maquettistes.

▬▬ Qui communique ?

On ne trouve de services de communication réellement structurés que dans les mairies des 400 villes de plus de 40 000 habitants.

Dans les 8 000 communes comptant de 5 000 à 40 000 habitants, la mairie emploie au moins quelqu'un qui fait fonction de journaliste municipal. Mais ce peut être le secrétaire général, un salarié du cabinet du maire ou encore un journaliste de la presse quotidienne régionale (PQR) qui « pige » pour la mairie. Dans certaines villes très touristiques, la fonction peut être occupée par le directeur de l'office du tourisme qui assure ainsi la promotion de la ville. Dans les villes de moins de 5 000 habitants, personne ne se charge de la communication en particulier. S'il peut encore arriver, dans les 3 600 villes de 2 000 à 5 000 habitants, qu'une personne soit, à temps partiel, chargée de la communication, dans les 20 000 communes restantes, qui comptent moins de 2 000 habitants, c'est le secrétaire de mairie qui assume cette fonction, comme toutes les autres d'ailleurs.

LA COMMUNICATION DES ENTREPRISES PUBLIQUES

SNCF, RATP, Sernam, Radio-France, France Télévision, Assistance publique-Hôpitaux de Paris, France Télécom, La Poste, EDF-GDF… toutes ces entreprises sont passées en quelques années du statut de quasi administration à celui de sociétés de service contraintes de gagner et défendre leurs positions sur des marchés concurrentiels. Elles présentent donc la particularité d'obéir à des lois différentes et parfois contradictoires. Comme leurs sœurs du privé, elles sont assujetties aux lois du marché. Parallèlement, leur mission d'intérêt général a été réaffirmée. En interne, pour faire accepter les changements par les agents, comme en externe, la **communication** a joué un rôle d'accompagnement essentiel dans la transformation de ces entreprises : elles ont donc toutes une délégation ou une direction de la communication.

> **COMMUNICATION**
> « Leur communication a dû évoluer et substituer, notamment, à l'objectif "d'être aimé" de l'usager celui "d'être préféré" par le client ».
> Communication publique, décembre 1999.

L'organisation de la communication des entreprises publiques ne présente pas de différences fondamentales avec celle des entreprises privées. « Pour moi, il n'y a aucune différence entre la communication d'une entreprise privée et celle d'une entreprise publique, affirme Jean Berthezène, alors directeur de la communication de la SNCF. Nous avons aussi des produits et des services à vendre, et le monopole du rail ne nous protège pas de la concurrence de la route ou des airs. »

Les structures de communication n'affichent pas non plus des effectifs pléthoriques. Elles travaillent beaucoup en réseau avec des chargés de communication dans les autres directions, et dans les différents échelons nationaux, régionaux ou locaux. Les équipes se recrutent pour l'essentiel en interne et n'intègrent des contractuels que lorsque la compétence ne se trouve pas dans l'entreprise.

Essentielle : la communication interne

La communication des entreprises publiques utilise les mêmes techniques et outils que celle des entreprises privées. La communication interne tient pourtant une place particulière pour des raisons de cohésion intérieure mais aussi d'image extérieure. Les agents, comme tous les salariés, sont des vecteurs importants de **l'image** de leur entreprise mais leur nombre donne à leurs témoignages un poids particulier ! Un mauvais accueil réservé aux clients, des propos sur des pratiques répréhensibles tenus par 200 000 personnes qui se répandent dans leur entourage (20, 50, 100 personnes ?) finissent immanquablement par créer un courant d'opinion négatif.

> **L'IMAGE**
> Le vaste mouvement de modernisation des entreprises de service public engagé au cours des dernières années a été accompagné d'un effort d'explication interne très important.

Le rôle de l'accueil et la notion de service public exigent une implication particulière des personnels de ces entreprises. Plus que pour n'importe quelle autre structure, l'image donnée à l'extérieur doit trouver un écho en interne. Si La Poste vous incite à bouger avec elle, vous devez y trouver un accueil chaleureux et des services modernes. Lorsque la SNCF affirme « C'est à nous de vous faire préférer le train », il faut évidemment que ses salariés en soient convaincus. Tous les messages diffusés en externe doivent être travaillés en interne avec les milliers de fonctionnaires en contact quotidien avec le public.

PARTIE 2

LES MÉTIERS DE LA COMMUNICATION

Enquêter sur les métiers de la communication vous entraîne dans des univers très différents. Le matin, vous pénétrez dans le décor *high tech* d'une grande agence de relations publiques. L'atmosphère dans les couloirs est studieuse et feutrée : le conseil stratégique aux chefs d'entreprise est une affaire sérieuse. À midi, vous sonnez à la porte d'une attachée de presse spécialisée dans la musique. Elle vous accueille au milieu de piles de disques des artistes qu'elle défend avec passion. Un peu plus tard, vous rencontrez le responsable du service de communication au siège d'une grande banque. Malgré leurs différences, ces professionnels de la communication ont tous en commun d'avoir démarré à la base.

SOMMAIRE

ATTACHÉ DE PRESSE

Ils n'en peuvent plus, et elles non plus. Ils ont beau le répéter, l'image superficielle de l'attachée de presse qui parade haut perchée sur ses talons dans les cocktails leur colle à la peau. « On a très mal vendu notre travail », reconnaissent les associations professionnelles. Enfin, « la crise a fait le ménage et les bricoleurs n'ont pas survécu ! », se réjouissent les plus sévères.

En les entendant, on les comprend : en agence, en entreprise ou en *free lance*, ils – souvent elles, car les deux tiers sont des femmes – travaillent dur et vantent, avec un enthousiasme qui n'a d'égal que leur patience, un voyage aux Antilles, des chaussures de sport, une chaîne de télévision, des hamburgers, de la musique ou encore des livres. Heureusement, pour beaucoup, la passion pour la communication ou le milieu dans lequel ils exercent constitue le plus doux des réconforts… Écoutons-les.

Entre sacerdoce et passion

« Il faut être très disponible pour faire ce métier, constate Marie Gérard, attachée de presse d'Adidas. Le sport, cela se passe souvent le week-end… et partout dans le monde ! Pour cette seule année 2 000, les événements ont été très nombreux. On a enchaîné préparations pour le lancement de nouveaux produits et déplacements pour l'Euro, Rolland-Garros et les Jeux olympiques de Sydney. Dès que l'on côtoie d'autres pays, on a l'impression d'être sans frontières, c'est enthousiasmant. C'est un métier qui demande une grande disponibilité, mais si on est bien organisé, on s'en sort. Les nouvelles technologies, qui ont bouleversé tout le secteur (le fax, il y a vingt ans, c'était magique, maintenant non seulement on a beaucoup plus de moyens, mais tout va de plus en plus vite) permettent aussi de mieux vivre : maintenant, la plupart du temps, je ne travaille plus au bureau le mercredi, mais je peux continuer chez moi en cas de dossiers urgents, grâce à mon ordinateur et mon téléphone portable. »

Des nerfs d'acier

Mais coincée entre des clients exigeants qui veulent qu'on parle d'eux à tout prix et des journalistes submergés, seuls maîtres de leur plume, la position de l'attaché de presse est, par nature, une position délicate d'intermédiaire. Pas étonnant donc que sa diplomatie et sa patience soient parfois mises à rude épreuve !

« Il arrive que la communication soit très difficile avec un client, regrette Thierry Croisé, directeur de Chaîne et Trame, une agence spécialisée dans la mode. On perd un temps fou, on explique cent fois, le client se méfie, on se justifie, et c'est difficile de travailler dans ces conditions. C'est très long pourtant de lancer une image. Il faut que ça plaise à la styliste, au journaliste, au photographe et à la rédactrice en chef. » Dans les secteurs artistiques, la pression s'accentue encore. « Des liens personnels peuvent s'établir avec les auteurs mais au moment de la sortie d'un livre, les relations changent, constate Hélène de Saint Hippolyte, attachée de presse de la collection "Blanche" chez Gallimard. Les auteurs sont tendus, anxieux, inquiets de la qualité de notre travail et parfois c'est très dur car ils nous remettent complètement en cause. »

Un travail de fourmi

Le travail de l'attaché de presse est donc bien loin des activités superficielles auxquelles on le réduit souvent. Le stress n'est pas en effet le seul tribut payé à sa passion ! « Il y a des tâches un peu ingrates dans ce métier, comme les mises à jour de fichiers et tout le côté logistique du service de presse », explique Janine Aubouy, attachée de presse de Miller Feeman Industries et présidente du **SYNAP**.

> **SYNAP**
> Syndicat national des attachés de presse professionnels et des conseillers en relations publiques

L'attaché de presse réalise en effet un travail de fourmi aussi obscur qu'indispensable. Il doit d'abord constituer un fichier qui n'a rien à voir avec une liste de journalistes recopiée sur les « ours » (voir le lexique en fin d'ouvrage) des journaux. Pour chaque nom, il lui faut tout savoir sur le journaliste : son statut (pigiste ou salarié), ses rubriques, ses centres d'intérêt professionnel mais aussi ses passions personnelles, les contraintes de son journal, les informations qu'il attend… Seule l'expérience permet de se constituer un fichier aussi documenté !

Pour chaque produit à promouvoir, l'attaché de presse vérifie son fichier et s'attache à n'envoyer son dossier de presse qu'aux journalistes réellement concernés. Le tri effectué, commence alors un long travail de manutention : mise sous pli, adresses à inscrire sur les enveloppes, timbrage et dépôt à la poste. Comme la concurrence est rude, il attend rarement que les journalistes le rappellent : il procède à des relances téléphoniques méthodiques. Il cherche des angles pour aborder son sujet : il tient compte des intérêts et des délais de bouclage de chaque journaliste. Lorsqu'il parvient à convaincre de l'opportunité d'écrire un article, toute sa **créativité** et son énergie seront disponibles pour aider le journaliste dans cette tâche. Il organise alors, selon les besoins, un voyage sur un site, une visite dans une entreprise ou une interview avec une personnalité. Il peut aussi chercher de la documentation complémentaire, résumer des rapports ou des livres que le journaliste n'a pas le temps de lire.

> **CRÉATIVITÉ**
> Après la campagne de presse ou périodiquement, l'attaché de presse constitue des revues de presse avec les articles dans lesquels son client est cité. Il peut alors analyser la façon dont le sujet est abordé et affiner encore son travail.

Quelle formation ?

De l'autodidacte à l'agrégé, en passant par des diplômés d'écoles spécialisées comme l'École française des attachés de presse (EFAP), tous les profils sont possibles ! L'association Information Presse et Communication – ex-Union nationale des attachés de presse professionnels de la communication (UNAPC) – avait

cherché, fin 1998, à affiner le profil de l'attaché de presse en réalisant une étude auprès de 490 adhérents. Cette enquête soulignait que 70 % des sondés avaient un niveau bac+3 ou bac+4, correspondant le plus souvent à une formation universitaire générale complétée par une formation spécialisée en communication (CELSA, ISERP, EFAP, IFP, CFPJ…). Signe des temps : les autodidactes ne représentent plus que 5 % des professionnels !

▬▬▬ Gare à l'usure !

Peut-on rester attaché de presse toute sa vie ? Une écrasante majorité des professionnels rencontrés répond à cette question par la négative. La plupart invoquent la répétition des tâches matérielles, la routine qui s'installe, l'ingratitude – « si ça marche c'est grâce au client, sinon c'est notre faute » –, la patience qui s'émousse – « avec l'**âge**, on supporte mal le ton de certains journalistes ! ». Les garçons en particulier passent difficilement le cap de la trentaine ! « C'est un métier où l'on se dessèche, on voit tout le temps la même chose ! », constate cet attaché de presse de 33 ans qui cherche à fuir

ÂGE
66 % des attachés de presse ont moins de 35 ans.

vers le journalisme. Quel est donc le secret de ceux qui résistent ? La passion pour le produit ou le secteur dans lequel on travaille apparaît encore comme le meilleur remède contre l'usure.

Même les plus épanouis regrettent qu'il y ait peu d'évolution possible dans ce métier. On peut devenir responsable de services de presse de plus en plus importants ou directeur de la communication dans de petites structures. La formation d'origine et le parcours joueront alors un grand rôle : changer de produit, de secteur, faire des allers-retours entre l'agence et l'entreprise, se frotter à la publicité et au marketing direct, tout cela contribue à étoffer le profil d'un attaché de presse et facilitera son évolution de carrière, surtout s'il dispose en plus d'une bonne culture générale de base (bac+4 ou bac+5).

▬▬ Des relations presse aux relations publiques

La lassitude de nombreux attachés de presse risque de s'estomper avec l'évolution de plus en plus marquante de la profession et la nécessaire adaptation aux nouveaux outils technologiques. « Nous ne travaillons plus seulement avec la presse mais pour tous les publics de l'entreprise », explique Janine Aubouy, présidente du SYNAP. « Notre mission, confirme Marie-France Bouilly, présidente de l'**AFREP**, c'est de valoriser l'image d'une entreprise et de la perpétuer dans le temps. Pour cela, nous pouvons utiliser tous les

AFREP
Association française des relations publiques

outils disponibles : la presse, mais aussi les salons, les événements, l'audiovisuel, le marketing, le *lobbying*, etc. »

Cet élargissement des champs d'intervention revalorise la fonction de l'attaché de presse. Le changement de nom de deux associations professionnelles intervenu ces dernières années entérine ce mouvement. L'Union nationale des attachés de presse et professionnels de la communication (UNAPC) est ainsi devenue l'association Information, presse et communication tandis que le SYNAP désigne désormais le Syndicat national des attachés de presse professionnels et des conseillers en relations publiques.

DE L'ASSISTANT AU CHARGÉ DE DOSSIER

Lorsque j'ai commencé, je suis passée par toutes les étapes, se souvient Valérie, 28 ans. D'abord stagiaire, je suis devenue assistante de l'attachée de presse, attachée de presse, chargée de projet et, enfin, directrice de clientèle ! » Jean-Pierre Beaudoin et Tristan Follin ont commencé en 1970 comme « chargés de contrat » dans l'agence dont ils sont aujourd'hui les directeurs généraux. Information et Entreprise employait alors sept salariés ; elle en compte aujourd'hui plus de 150 répartis en assistants opérationnels, consultants juniors, consultants, consultants seniors et conseils associés.

En entreprise ou dans une collectivité locale, le débutant est embauché comme assistant du directeur de la communication (dans une petite structure) ou du responsable de la communication interne, ou encore au service de presse.

« Se faire les dents »

Les tâches confiées aux assistants chargés de la communication doivent leur permettre d'acquérir les techniques de base du métier. Il s'agit d'apprendre à rédiger un communiqué de presse, à concevoir puis à réaliser un dossier de presse.

Se plonger dans les « ours » (voir le lexique en fin d'ouvrage) des journaux et des magazines, tenir à jour les fichiers presse, s'essayer à la relance téléphonique (rappeler aux journalistes l'intérêt de la manifestation organisée), chercher une salle, du matériel, des fournisseurs pour l'organisation d'un cocktail, d'un événement ou d'un salon font partie des premières missions confiées au débutant. L'assistant gère le dossier au quotidien et apprend les ficelles du métier en même temps que la patience, la diplomatie, la pugnacité…

« Parler de la magie de Disneyland quand vous venez de vous faire raccrocher au nez par 500 journalistes ou quand des camionneurs ou des agriculteurs bloquent l'entrée du parc, c'est vraiment dur ! se souvient Paul, 29 ans, qui a passé trois ans au service de presse de Disneyland Paris. Au début, on prend cela au tragique ! Mais il faut se faire les dents, s'endurcir ! »

Puis, peu à peu, l'assistant va se voir confier de plus grandes responsabilités : la réalisation d'un dossier de presse et l'organisation d'une conférence de presse de A à Z, la gestion de la présence d'un client sur un salon… Le chargé de dossier ou de budget en agence commence à entretenir une relation suivie avec le client, à travailler sur recommandations.

Se faire remarquer

Le temps passé à ce niveau varie selon la taille de l'entreprise, le secteur d'activité et le talent personnel de chacun. Bien évidemment, si vous vous faites remarquer par votre rapidité, votre réactivité, votre créativité, si les clients et les journalistes vous trouvent disponible, précis et fiable, vous progresserez plus vite que si votre lenteur n'a d'égale que votre humeur lunatique…

Cependant, d'une façon générale, on acquiert davantage d'autonomie dans une petite structure, où chacun est polyvalent, que dans une grande agence ou entreprise où la hiérarchie s'avère parfois plus pesante. En revanche, le niveau de responsabilité atteint vite ses limites. Après quelques années, vous ne trouverez plus à l'échelon supérieur que le patron lui-même, et il sera alors sage de s'orienter vers une structure qui traite des budgets plus importants et plus variés.

Mais « il faut de l'expérience et de la maturité pour gérer un dossier, souligne Annie Blin, directrice d'AB3C. Lorsqu'on se trouve face au client, il faut être capable de défendre son point de vue avec de solides arguments professionnels et parfois de lui tenir tête ».

▬▬▬ Des profils variés

Les recruteurs n'ont pas tous les mêmes exigences de profils. D'une façon générale, dans les très grandes entreprises ou dans les grandes agences, les valeurs sûres font toujours recette : un diplôme de Sciences po ou d'une école de commerce complété par un troisième cycle en communication, le CELSA, par exemple. Souvent, plus la structure est petite, moins on attache d'importance à la formation initiale. On trouve généralement à leur tête des hommes et des femmes de passion, à l'esprit d'entreprise, qui préfèrent se fier à leur intuition pour dénicher de futurs talents dont la personnalité s'intégrera bien à leur équipe. Une formation en communication témoigne pour eux de l'intérêt du candidat pour le métier. Mais la motivation, la vivacité, un bon contact constituent souvent les meilleurs critères. En outre, les entreprises attachent de plus en plus d'importance au relationnel et au choix des stages dans leur décision de recrutement.

CONSULTANT
EN AGENCE

Décider de faire carrière en agence, c'est aussi choisir un exercice particulier de la profession. C'est notamment accepter de travailler beaucoup sur plusieurs dossiers à la fois qui n'ont aucun rapport entre eux et qu'on ne peut, par conséquent, que survoler. C'est aussi accepter de n'approcher l'entreprise que de l'extérieur comme prestataire de services. Si la diversité vous stimule, vous trouverez là un terrain propice à votre épanouissement. Une incursion dans l'entreprise vous permettra cependant de mieux en cerner les réalités (ce qui n'est somme toute pas inutile si vous envisagez de donner des conseils aux chefs d'entreprise…).

Dans une petite agence, vous progresserez de façon souvent informelle. Jour après jour, votre savoir-faire va s'améliorer, vos responsabilités sur les dossiers s'élargiront au rythme de la confiance que vous inspirerez à votre patron, sans que cette évolution soit forcément consignée verbalement. Dans une structure plus étoffée, vous grimperez dans une hiérarchie plus ou moins détaillée. Selon les agences, un consultant doit posséder de deux à cinq ans d'expérience professionnelle. Il débute comme junior puis devient senior, ce qui peut lui permettre de diriger une équipe. Les consultants, juniors ou seniors, représentent près de 60 % des effectifs des agences.

Du « brief » aux recommandations

Dogad Dogoui est président de l'association Melting Com qui regroupe des professionnels de la communication et de l'information. Il a travaillé en agence pendant sept ans avant de créer sa propre structure, Almeria Relations publiques. Il nous parle en détail de ses fonctions : « La première étape est la rencontre avec le client, le *brief*, au cours duquel il expose son problème. Il

faut alors souvent l'aider à formuler clairement sa demande. Cette étape franchie, je travaille sur l'environnement de l'entreprise : son histoire, ses atouts, ses concurrents, ses acheteurs, l'attente des commerciaux. Si l'entreprise ne sait pas répondre, il faut faire une étude. Puis je vais sur le terrain, dans les usines de production. Il faut bien comprendre comment les choses se fabriquent car auprès des journalistes, je dois "être" l'entreprise. Ensuite, on passe aux recommandations, en quatre ou cinq parties, par exemple pour les relations presse :

1. Le cadre de référence (montrer que l'on a bien compris l'entreprise).

2. La définition de la problématique.

3. La définition des objectifs de communication (attente exacte de l'entreprise).

4. Les définitions des publics ciblés et des messages, l'identification des supports appropriés.

5. Les plans d'action : ce qu'on propose de faire.

Tous les mois, je fais un compte rendu au patron de l'entreprise – ou au dircom si c'est une très grande structure. Au bout de six mois, je fais un sondage de notoriété auprès des journalistes qui me permet, éventuellement, de rectifier le tir. »

▰▰▰ Saisir les opportunités de carrière

Pour évoluer rapidement, il faut avoir la chance de travailler sur un dossier en pleine expansion et la saisir, constatent de nombreux professionnels de la communication. Xavier Delacroix, entré à 27 ans chez Burson-Masteller, s'est trouvé confronté six mois plus tard au « cas Perrier » (dans lequel on avait trouvé des traces de benzène !). Le traitement de ce dossier a développé un savoir-faire dans l'agence et a permis le développement d'un département spécialisé dans la communication de crise, dont il a été directeur-conseil.

Directeur-conseil, directeur-développement, directeur associé… Quel que soit son nom, ce poste correspond à un niveau de direction, d'un département dans une grande agence, ou de l'agence elle-même s'il s'agit d'une petite structure. Après l'assistant qui gère le dossier au jour le jour et le consultant qui travaille de façon plus autonome, le directeur a la vision la plus globale. Il doit être capable de la plus fine analyse stratégique, de jouer un rôle commercial pour favoriser le développement de l'agence et de diriger une équipe. Ces trois compétences ne s'acquièrent qu'avec le temps, le travail et le talent… confortant une excellente formation initiale.

« On ne sort pas de formation "directeur diplômé", rappelle Jean-Pierre Beaudoin. J'ai vu des stagiaires traiter avec condescendance l'aspect technique de nos professions. Ils ne voulaient faire que de la stratégie. Mais il faut commencer à la base, sur le terrain, et manifester sa compétence par un parcours professionnel réussi ! »

RESPONSABLE DE LA COMMUNICATION INTERNE

Grande oreille, fine bouche. Le responsable de la communication interne (RCI) est la personne qui, virtuellement, s'intéresse à tout et à tout le monde. Les couloirs, les ascenseurs, les cafétérias, les déjeuners qui sont pour ses collègues des lieux ou des moments de détente, représentent aussi pour lui des lieux de travail intense : il y traque l'information, il y constitue, anime, coordonne son réseau relationnel, qui l'aidera ensuite dans sa pêche à l'info.

RÉCEPTEUR, ÉMETTEUR

L'information lui parvient ainsi de l'ensemble de l'entreprise et du groupe et repart, analysée, digérée et mise en forme, vers les différentes cibles internes. En effet, le besoin d'information se ressent à tous les échelons de la hiérarchie.

• La direction générale souhaite transmettre son information mais aime aussi prendre le pouls de l'entreprise.

• La direction des ressources humaines, mise à mal en période de crise, trouve avec la communication interne des occasions de renouer le dialogue avec les salariés.

• L'encadrement attend une information pratique qui l'aide dans son travail quotidien et qu'il diffuse au sein de son équipe.

• Les salariés, enfin, souhaitent une information solide sur la santé de l'entreprise et, s'il faut faire des économies, ils veulent savoir pourquoi et qui partage les efforts.

Coincé entre les attentes de la base et les réticences de la direction à parler des choses qui fâchent, le RCI trouve là un terrain

LES OBJECTIFS DE LA COMMUNICATION INTERNE

L'UJJEF a réalisé une enquête en juillet 1999 auprès de 200 responsables de la communication issus d'entreprises privées (70 %), mais aussi de collectivités locales (19 %), d'institutions publiques (5 %), d'associations (3 %), d'entreprises publiques (2 %) et de fédérations patronales (1 %). L'une des questions portait sur les trois principales fonctions de la communication interne vis-à-vis du personnel de leur organisme. Voici leurs réponses.

Motiver le personnel
69 %

L'informer vraiment
62 %

Le former*
51 %

Favoriser son intégration
19 %

Le rassurer
17 %

Le convaincre
16 %

Le traiter en citoyen
13 %

Lui vendre l'entreprise ou l'institution
9 %

Occuper le terrain social
7 %

* Les responsables travaillant dans des structures de plus de 600 salariés sont 60 % (contre 42 %) à citer la formation du personnel comme l'une des trois principales fonctions de la communication interne.

propice à manifester sa diplomatie, ses qualités relationnelles, ses capacités d'écoute et d'analyse des attentes de chacun.

UN STRATÈGE, MAIS SURTOUT UN CONCEPTEUR-TECHNICIEN

L'agence A Conseil a coordonné en 1999 une étude sur la fonction de responsable de la communication interne à partir de petites annonces d'offres d'emploi publiées dans cinq supports de presse, par l'Association pour l'emploi des cadres (APEC) et l'Association française de communication interne (AFCI). Cette étude souligne que près de la moitié des recruteurs recherchent un stratège capable de « définir la politique de communication interne », « d'intégrer son action dans la stratégie globale de l'entreprise » ou encore de « recommander à la direction générale les axes de communication stratégiques de l'entreprise ». Pourtant, dans les entreprises, le RCI n'est pratiquement jamais rattaché à la direction générale. Selon cette étude, il dépendrait de la DRH dans 37 % des cas et de la direction de la communication dans 24 % des cas.

L'aspect réalisation technique et mise en place des outils de communication demeure très important. En effet, s'ils vantent les mérites du contact direct avec les salariés, les RCI vivent encore beaucoup dans le monde de l'écrit… sur papier ou électronique. Généralement, ils assument la responsabilité du journal interne et des documents internes de présentation… Ils doivent choisir un sujet, enquêter, analyser, synthétiser, puis rédiger : un vrai travail de journaliste. Il peuvent déléguer cette tâche à un journaliste professionnel et confier la réalisation du journal à une agence spécialisée qui prendra en charge l'aspect technique, de la maquette à l'impression. Dans ce cas, le RCI a alors un rôle de rédacteur en chef. Les réunions, les colloques, les affiches placées aux endroits stratégiques (distributeurs de boissons, ascenseurs…) restent des vecteurs très utilisés. Les nouvelles technologies demeurent quant à elles très marginales.

LES OUTILS DE LA COMMUNICATION INTERNE

Les 200 responsables de la communication interrogés par l'UJJEF en juillet 1999 utilisent principalement cinq outils pour communiquer en interne.

Une messagerie électronique traditionnelle*	77 %
Un ou plusieurs journaux internes	71 %
Un réseau Intranet	58 %
Une information téléphonée (radio interne)	13 %
Un magazine vidéo	12 %

* hors Intranet.

Le boom des nouvelles technologies

Selon la dernière enquête UDA (janvier 2000), 94,7 % des entreprises de plus de 25 000 salariés ont un réseau Intranet dans l'entreprise. Et l'Union précise que presque toutes les entreprises qui ne sont pas encore équipées ont l'intention de rattraper leur retard en moins d'un an. Si les entreprises françaises avaient démarré lentement, elles ont fini pas s'y mettre.

Un peu trop vite peut-être semble constater l'UDA, qui remarque que la mise en place souvent très rapide de ces réseaux ne s'est pas toujours accompagnée d'une réflexion précise sur ses objectifs. Peu d'entreprises (36,6 %) ont également créé un service spécifique pour le gérer et dans 63 % des cas, il ne compte pas plus de deux personnes. Autre particularité de ce développement rapide, ce service dépend, dans 44 % des cas... de la direction informatique ! Seuls 39 % des responsables de communication ont pu en récupérer la maîtrise alors qu'ils estiment dans plus de 80 % des cas qu'Intranet s'adresse à tous les salariés. Si le responsable de la communication veut assurer une bonne cohérence dans la communication de l'entreprise, il lui faudra s'attacher à récupérer cet outil...

QUE TROUVE-T-ON SUR INTRANET ?

Pour les 223 responsables de la communication qui ont répondu à l'enquête UDA publiée en janvier 2000, Intranet est avant tout un média destiné à mieux informer les salariés. L'information est « descendante », c'est-à-dire qu'elle vise davantage à permettre à la direction de s'adresser aux salariés (83,7 % des cas) qu'aux salariés à communiquer entre eux (51 %) ou à l'information de remonter (41 %).

Les services proposés sur Intranet

Une messagerie	79,2 %
Des bases de données	78, 6 %
Un agenda électronique	36,4 %
Un serveur Web avec accès limité	30,5 %
Un serveur Web avec accès libre	29,9 %
Des groupes de discussion	23,4 %
Autres	4,5 %

Les rubriques proposées sur Intranet

Annuaire interne/organigramme	72,3 %
Circulaires et notes	62,8 %
Présentation des produits et services de l'entreprise	54,1 %
Revue de presse	50,7 %
Présentation de la politique de l'entreprise	20, 9 %
Bibliographies	17,6 %
Rubriques magazines	17,6 %
Activités du comité d'entreprise	16,2 %
Carnet	12,2 %
Jeux	2,7 %
Autres	14,9 %

Intranet remplacera à terme, selon les responsables de communication, des supports comme les circulaires et les notes de services (77,3 % des opinions), le journal interne (27,8 %), la messagerie réseau (26,8 %), le service télématique (17,5 %), les réunions d'information (14,4 %).

QUI DEVIENT RCI ?

Le responsable de la communication interne n'est jamais un débutant : les annonces exigent entre un à dix ans d'expérience, plus de la moitié demandent trois années. L'âge moyen tourne autour d'une quarantaine d'années, et lorsque les entreprises font passer une annonce pour un recrutement, elles le situent (si elles précisent une fourchette d'âge) entre 30 et 35 ans.

La formation. Selon l'étude d'A Conseil, publiée dans *Les Cahiers de la communication* interne de février 2000, 95 % des annonces demandent une formation supérieure, « formation généraliste ou en communication majoritairement, un cursus universitaire, lettres, journalisme, formation ou encore marketing ». Un tiers des offres étudiées précise une ou des écoles, généralement le CELSA (36 %), Sciences po (31 %) ou les écoles de commerce (21 %).

Les qualités. Stratège, technicien et doués d'aptitudes personnelles fortes, le RCI doit être un homme ou une femme complète puisque l'étude d'A Conseil ne relève pas moins de 66 qualités dans l'ensemble des annonces étudiées. Arrivent en tête, les valeurs humaines avec naturellement un bon relationnel, mais aussi la capacité à proposer, à organiser, à agir en prenant en compte les éléments économiques et sociaux.

Le salaire. Deux tiers des annonces étudiées mentionnent un salaire. 43 % proposent une rémunération comprise entre 120 000 F et 400 000 F (brut annuel), avec une moyenne de 210 000 F, et 55 % un salaire inférieur ou égal à 200 000 F.

YVES VANNOF, RCI DE CASTORAMA FRANCE

Après une maîtrise en communication sociale à Bruxelles et une formation plus axée sur le journalisme d'entreprise et l'audiovisuel, Yves Vannof, 40 ans, passe deux ans en communication interne chez Bouygues, puis devient réalisateur indépendant. Mais l'entreprise le rattrape et il est embauché chez Castorama France, depuis seize ans maintenant, pour créer un service communication interne qui compte aujourd'hui cinq personnes.

Sa mission ? Informer les 14 000 salariés de l'entreprise, dispatchés dans 110 magasins ! Pour cela, il doit « créer un état d'esprit, fédérer, informer les gens qui s'occupent des clients ». Il s'appuie encore beaucoup sur la presse écrite en publiant un journal à raison de six numéros par an, mais également sur l'audiovisuel avec la réalisation, également six fois par an, d'un « vidéomagazine », sorte de JT plutôt destiné aux équipes d'encadrement.

Des compétences techniques sont requises pour travailler en communication interne. « Le support papier et la vidéo sont loin d'être enterrés, il leur reste encore de beaux jours. Nous n'avons pas encore développé Intranet, parce que, dans notre entreprise, tous les employés ne travaillent pas devant un ordinateur. Mais, nous allons nous y mettre, et la prochaine recrue aura pour mission de le développer ». Contrairement à d'autres entreprises qui sous-traitent beaucoup en faisant appel à des agences extérieures spécialisées, Castorama France fonctionne un peu comme unes agence intégrée. Les collaborateurs de Yves Vannof ont donc des profils assez variés. Certains viennent de l'EFAP Lille, avec une spécialisation radio, audiovisuel, d'autres sont de purs techniciens capables de réaliser un film de A à Z.

JOURNALISTE D'ENTREPRISE

C'est la plume du responsable de la communication. En agence, en *free lance* ou en interne dans l'entreprise, il enquête, rédige avec une mission : informer les salariés ou des interlocuteurs extérieurs à la structure. Face à des lecteurs aujourd'hui plus avertis, les journaux d'entreprise ont dû évoluer et se professionnaliser. Plus question de servir une « soupe » moulinée intégralement dans le bureau du patron : les salariés veulent du pratique, du concret et du vrai ! Les journaux d'entreprise font l'objet d'une étude de lectorat régulière qui permet de savoir s'ils sont lus, s'ils répondent à la demande et comment les messages sont reçus.

C'est pourquoi, dès qu'elles le peuvent, les entreprises s'offrent les services de journalistes qui officient déjà dans la presse grand public, économique ou professionnelle.

Prose d'entreprise

De la simple lettre interne au volumineux journal trimestriel, la littérature produite par les entreprises utilise une large palette de supports qui répondent chacun à un besoin. Chez Essilor, par exemple, il existe essentiellement trois supports. Le premier, *La Lettre d'Essilor*, tirée à 2 700 exemplaires, est destiné aux cadres, considérés comme les meilleurs relais de l'information. *Regards*, en revanche, concerne l'ensemble du personnel (7 000 exemplaires en français, 10 000 en anglais et 3 000 en espagnol) et paraît tous les trois mois. Il donne une vision plus globale de l'entreprise, offre des articles dont le ton rappelle celui de la presse grand public. Enfin, des journaux de site sont réalisés dans chacun des établissements du groupe. Réalisés par et pour les salariés de chaque établissement, ils diffusent une information très proche des gens.

▰▰▰ Journaliste interne ou collaborateur extérieur ?

Les lettres d'information rapide sont généralement réalisées en interne par le responsable de la communication et ses éventuels assistants. Le RCI travaille avec un réseau de correspondants ou sollicite, pour des sujets pointus, les ingénieurs, les commerciaux… Parfois, il assume également la rédaction des journaux puis sous-traite la partie technique (maquette, impression).

Cependant, dans une entreprise plus importante, un journaliste interne peut prendre en charge le journal et porter le titre de rédacteur en chef. Le RCI peut aussi faire appel à des journalistes pigistes ou recourir aux services d'une agence spécialisée. Dans tous les cas, c'est l'entreprise qui reste rédacteur en chef du journal. Elle confie au journaliste des articles, lui indique le sujet, la longueur de l'article, ce qu'elle veut montrer et qui il doit rencontrer.

▰▰▰ La pertinence sans l'impertinence

Le journaliste d'entreprise est un journaliste comme les autres journalistes. « Il n'y a pas vraiment de spécificité, affirme un responsable édition d'une agence de communication écrite. Un bon journaliste d'entreprise est un bon journaliste tout court. » Le métier est à cheval entre l'information et la communication. Il utilise les techniques du journalisme (enquête, interview, rédaction…) et s'appuie sur les principes de la communication (message précis à diffuser auprès d'un public circonscrit).

La plume téléguidée du journaliste d'entreprise lui vaut quelques reproches. La Charte professionnelle des journalistes précise en effet qu'un « journaliste digne de ce nom […] ne touche pas d'argent d'un service public ou d'une entreprise privée où sa qualité de journaliste, ses influences, ses relations seraient susceptibles d'être exploitées ». En vertu de ce principe, les journalistes d'entreprise n'ont pas droit à la carte professionnelle.

SOUVENIRS, SOUVENIRS...

L a presse d'entreprise est affaire d'état d'esprit. Tout le monde ne s'adapte pas...

« J'avais l'impression d'être un embaumeur. On me confiait un monceau de mensonges décomposés qu'il s'agissait de rendre présentables au terme d'un douloureux patchwork d'approximations, de contrevérités, de phrases dépourvues de sens. » ■ **Marie Desplechin, ex-pigiste.**

Source : Elle, 12 juillet 1999.

Néanmoins, les journalistes déjà titulaires de la carte peuvent la conserver lorsqu'ils décident de mettre leur talent au service d'entreprises, à condition, bien sûr qu'ils continuent à travailler par ailleurs pour une ou plusieurs entreprises de presse.

La critique de l'amalgame rejaillit souvent sur l'activité. « Les gens ont un préjugé défavorable sur la presse d'entreprise, reconnaît la directrice du développement d'une agence de communication écrite. Pour ma part, je considère que les gens ont dans leur travail un droit aussi fondamental que celui d'être payé : c'est celui d'être informé. Le journaliste d'entreprise est là pour ça. C'est un métier différent de celui de journaliste, mais c'est un métier. »

Une fonction peu accessible aux débutants

Si vous alliez un ton grand public – cette réelle capacité à simplifier le complexe – à une expérience de la presse économique, professionnelle ou mieux encore d'entreprise, vous avez le profil intéressant pour l'une des quelque 25 à 30 agences spécialisées dans la réalisation de journaux d'entreprise. En revanche, les débutants ont peu de chances de se voir confier des missions.

LES DEUX RÈGLES D'OR DU JOURNALISTE D'ENTREPRISE

1. Bien saisir l'esprit de l'entreprise. « Il faut être souple, reconnaît ce professionnel. Bien sûr, la langue de bois est abandonnée en théorie, mais toutes les entreprises n'ont pas acquis le même niveau de transparence. On sait que lorsqu'on fait le portrait du patron de l'entreprise, on doit le brosser différemment dans le journal de l'entreprise et dans *Libé*, par exemple ! »

2. Bien comprendre ce que le client veut dire. Les journalistes internes ou externes ont peu de marge de manœuvre sur le choix des articles. Une agence peut suggérer des sujets au client, souligner que dans la dernière enquête de lectorat les salariés ont souhaité que l'on aborde leurs droits dans l'entreprise (congés, formation, promotion, augmentation…). Mais si la direction ne s'enthousiasme pas, l'agence n'imposera pas un point de vue qui risque de lui faire perdre un client.

Les agences les plus ouvertes vous demanderont au minimum d'être diplômé d'une école de journalisme reconnue et de montrer « deux ou trois petites choses ». Équipé de ce bagage minimal, il vous faudra ensuite beaucoup de détermination et de persuasion pour que l'on vous donne votre chance.

POUR ALLER PLUS LOIN

L'Union des journaux et journalistes d'entreprise de France (UJJEF), 420, rue Saint-Honoré, 75008 Paris, tél. 01.47.03.68.00 ; site Internet : ujjef.com. Elle fédère une partie de la profession : 670 adhérents, 1200 membres représentant 550 publications et plus de 22 millions de lecteurs. Elle organise des débats, des conférences, etc.

DIRECTEUR DE LA COMMUNICATION

C'est le poste phare de la communication d'entreprise. « Ils veulent tous faire de la stratégie et être des directeurs de la communication ! », s'exclament – et se plaignent parfois ! – les professionnels qui reçoivent les étudiants en stage. Pourtant, combien sont-ils ? Entre 400 et 500, selon Entreprises & Médias (association de directeurs de la communication), rempliraient cette fonction dans son entière responsabilité. Une conception élitiste qui ne définit comme directeur de la communication que les professionnels qui jouent un véritable rôle stratégique dans leur entreprise. L'association évalue à 3 000 le nombre de « décideurs de la communication ». Le terme de directeur de la communication ne recouvre pas en effet toujours les mêmes réalités. « On peut avoir le titre ronflant sans en avoir ni les responsabilités, ni le salaire ! », ironise cette enseignante.

Cependant, s'il est vrai qu'il existe d'énormes différences entre les responsabilités confiées aux personnes qui portent ce titre, il n'en reste pas moins qu'elles ont toutes un point commun. Elles participent à la définition de l'image de l'entreprise, la mettent en œuvre avec une équipe interne ou en faisant appel à des prestataires extérieurs, et mettent en place un système de mesure de leurs actions. Ce sont les « stratèges de l'image », les garants de la réputation de l'entreprise.

Qui sont les dircoms ?

En 1997, l'Union des annonceurs (UDA) a mené une étude auprès de 300 entreprises qui permet de brosser le portrait des dircoms. D'après cette enquête, les responsables de la communication vieillissent : 46 % ont plus de 45 ans, contre 26 % en 1992. Dans le même sens, les moins de 35 ans ne représentent plus que 23 %. La part des femmes, après avoir nettement progressé, se

LE DIRCOM IDÉAL

Jacqueline Gendre recrute des professionnels de la communication au sein du cabinet Gibory Consultant. Elle dresse le profil et le parcours le plus fréquent du directeur de la communication actuel et de celui qui, selon elle, prévaudra dans les quelques années à venir.

« Le rôle du dircom est d'être le garant de l'image de l'entreprise, d'assurer la cohérence de cette image. Pour se faire, il doit expliquer la stratégie de l'entreprise, assurer une parfaite coordination entre l'interne et l'externe, superviser les opérations menées, qu'elles soient intégrées ou confiées à des prestataires.

Proche du président et souvent son porte-parole, il doit avoir des liens avec le top management, en particulier le directeur marketing, le DRH, le directeur commercial.

L'évolution permanente des métiers de la communication (publicité, relations publiques, marketing, opérationnel, design) et surtout les technologies interactives (Web, câble, satellite, etc.) ont encore élargi son champ de compétences.

Issu du monde de la communication, ayant forgé son expérience sur des secteurs variés et ayant utilisé tous les outils mis à sa disposition, il est bien armé pour assurer le rôle de "chef d'orchestre" qui doit allier rigueur, fermeté, diplomatie, réactivité, anticipation. Ce rôle transversal difficile sera facilité par les nouvelles technologies.

Les formations supérieures (écoles de commerce, Sciences politiques, CELSA) restent les plus appréciées. L'anglais est bien sûr indispensable dans un contexte de plus en plus international, lié notamment aux nombreuses fusions d'entreprises. »

LE SALAIRE DES DIRCOMS ET DE LEURS COLLABORATEURS

Entreprises & médias, l'association des directeurs de la communication, a réalisé une enquête sur les évolutions du métier de dircom. Publiée en mars 2000, elle souligne notamment que le salaire et les avantages accordés aux dircoms varient selon le chiffre d'affaires (CA) de l'entreprise dans laquelle ils exercent.

☛ **Les revenus des directeurs de la communication**

CA : supérieur à 50 milliards de francs · **Fourchette de salaire annuel brut et salaire médian (SM)** : de 900 000 F à 2 MF ; SM : 1,20 MF · **Avantages** : 95 % ont un élément variable de 15 % à 50 % du salaire, 91 % sont éligibles en stock options, tous ont une voiture de fonction · **Âge** : de 43 à 59 ans.

CA : entre 10 et 50 milliards de francs · **Fourchette de salaire annuel brut et salaire médian (SM)** : de 1 à 1,4 MF ; SM : 1,10 MF • **Avantages** : 46 % ont un élément variable de 15 % à 30 % du salaire, 87 % sont éligibles en stock options, 87 % ont une voiture de fonction · **Âge** : de 39 à 59 ans.

CA : Inférieur à 10 milliards de francs · **Fourchette de salaire annuel brut et salaire médian (SM)** : de 350 000 F à 900 000 F ; SM : 650 000 F · **Avantages** : 30 % ont un élément variable de 8 % à 15 % du salaire, 27 % sont éligibles en stock options, 43 % ont une voiture de fonction · **Âge** : de 36 à 54 ans.

☛ **Les revenus de leurs collaborateurs.** L'enquête révèle qu'il existe des différences importantes selon l'entreprise, la taille de la direction dans laquelle ils travaillent, l'âge et la formation.

Fonction : Directeur-adjoint • **Formation :** de bac+4 à bac+6 • **Âge :** de 40 à 59 ans • **Salaire :** de 520 000 F à 850 000 F ; 60 % ont des bonus et certains sont éligibles en stock-options.

Fonction : directeur de département • **Formation :** de bac+4 à bac+6 • **Âge :** de 35 à 53 ans • **Salaire :** de 360 000 F à 630 000 F.

Fonction : chef de service • **Formation :** « supérieure » • **Âge :** de 31 à 59 ans • **Salaire :** de 300 000 F à 510 000 F.

Fonction : autres (communication interne, presse/RP, communication financière, multimédia, *lobbying*, etc.) • **Salaire :** de 150 000 F à 510 000 F selon leur profil et l'entreprise.

stabilise depuis 1995 avec une répartition homogène de 48 % pour 52 % d'hommes.

Ils ou elles, donc, ont presque tous fait des études supérieures. Les formations universitaires (58 %) prennent le pas sur les grandes écoles (30 %). Ces dernières voient leur cote baisser : en 1995, 38 % des dircoms en sortaient diplômés. Les formations spécialisées en communication continuent à percer. Absentes dans l'enquête de 1988, elles sont citées dans 15 % des cas en 1992. En 1997, 26 % des responsables en communication en sont issus. Néanmoins, les diplômés en gestion, commerce et économie représentent encore 30 % de la promotion.

▬▬▬ Qui devient dircom ?

Le dircom n'est donc ni un débutant ni un amateur ! Il doit déjà réunir des qualités qu'on trouve rarement chez la même personne : la créativité, la rigueur et l'adaptabilité. S'il veut réellement jouer son rôle de conseil au niveau de la direction, il lui faut de l'expérience, de l'aplomb et parfois du courage pour imposer ses vues. Il doit bien connaître son entreprise, être capable de discuter aisément avec tous ses interlocuteurs. En effet, il partage et coordonne bon nombre de ses dossiers avec d'autres directions du groupe : ressources humaines, commerciale, marketing ou financière.

Enfin, ce qui fera vraiment la différence parmi tous les prétendants à la fonction, c'est… le talent ! « Il faut prendre de la distance, avoir beaucoup de sang-froid, une bonne vision de la complexité des choses, un esprit de synthèse redoutable et du sens politique », résume Jean-Baptiste de Bellescize.

▬▬ « Un directeur comme un autre »

Après avoir tout fait pour s'imposer et se faire remarquer, le dircom ne semble plus avoir qu'une obsession : être considéré comme les autres directeurs. « C'est une fonction comme une autre maintenant, et c'est plus sain comme cela, estime le directeur de la communication d'une grande entreprise. On doit posséder les mêmes qualités de management et respecter les mêmes règles de rentabilité des investissements. »

Même si toutes les entreprises n'ont pas évolué au même rythme, cette tendance, amorcée dans les années 90, s'est affirmée : le directeur de la communication n'est plus l'homme du président, le metteur en scène de l'image de l'entreprise, c'est un directeur comme les autres, dont la fonction est plus particulièrement la réputation de l'entreprise. « Le travail en chambre n'existe plus, explique Philippe Hardouin, président de l'association Entreprises & Médias (*CB News*, juin 2000). Tout ce qui est lié à la stratégie de communication, à sa mise en œuvre, à sa mesure, à ses évolutions par rapport aux objectifs de l'entreprise et par rapport à des accidents dont on peut tirer des enseignements reste une entreprise collective liée à l'équipe dirigeante. Le champ de la compétence technique que doit posséder naturellement un dircom ne l'autorise pas à être le seul maître de la stratégie de communication ».

LES COMMUNICANTS DANS LA FONCTION PUBLIQUE

L e secteur public, qui a découvert la communication plus tardivement que l'entreprise, a offert ces dernières années des débouchés intéressants. Les restrictions budgétaires n'en font cependant pas un eldorado. Dans les services des ministères comme dans les entreprises publiques, le recrutement s'opère surtout en interne. Il semble plus rapide d'apprendre les techniques de communication que le fonctionnement interne d'une grande entreprise publique dont les particularités structurelles, les relations entre les différents départements, les syndicats sont les résultats de sa longue – et souvent complexe – histoire.

Dans les collectivités locales, la communication s'est beaucoup développée depuis la décentralisation. Mais si la fonction s'est imposée, les moyens actuels, notamment ceux des villes, ne permettent pas des embauches massives. Cependant, certaines années sont riches en rebondissements électoraux. Pour ceux qui s'intéressent à la vie publique et politique, suivre ces différents mouvements peut être très instructif. Le secteur public, même s'il s'est largement professionnalisé, reste lié aux aléas politiques et les équipes municipales, notamment, sont évidemment très exposées. Sachez rester à l'affût du changement…

Comme les services ministériels, les collectivités locales fonctionnent avec une équipe politique (par exemple, le maire, les maires-adjoints…) et une administration (état civil, culture…). Le premier peut embaucher, selon la taille de la municipalité, une ou plusieurs personnes contractuelles ou recruter des fonctionnaires de la fonction publique territoriale (FPT). Les services administratifs sont composés exclusivement de fonctionnaires. Il existe donc deux modes de recrutement parallèles.

En règle générale, pour intégrer la fonction publique, il faut passer et réussir un concours. Mais, en vertu de la loi du 26 janvier 1984, le recours à des agents contractuels se justifie pour faire face à des besoins momentanés ou occasionnels ou, par période d'un an, à la vacance d'un emploi qui ne peut être immédiatement pourvu par un titulaire (absence de concours, absence ou inadaptation des listes d'aptitude…), ou encore pour des emplois très spécifiques. Ce texte sert de base au recrutement de la plupart des responsables de la communication des collectivités territoriales qui jugent que cette fonction doit être occupée par de vrais professionnels du secteur et non par des fonctionnaires territoriaux sans expérience particulière dans ce domaine.

La loi Hoeffel du 27 décembre 1994 et un décret du 28 décembre 1994 précisant, dans une longue énumération de missions, que les rédacteurs et attachés territoriaux « peuvent également être chargés des actions de communication interne et externe » sont venus jeter le doute. « C'est sur la base de ces textes, précise François Descamps, du service communication du **CNFPT**, que de nombreuses préfectures ont décidé de limiter les emplois contractuels en s'opposant également au renouvellement de contrats arrivés à terme ».

> **CNFPT**
> **Centre national de formation de la fonction publique territoriale**

Cette position avait pour objectif de résoudre le problème des « reçus-collés », c'est-à-dire des candidats qui ont réussi le concours, sont inscrits sur la liste d'aptitude, mais ne parviennent pas à se faire embaucher (voir l'encadré ci-contre).

Interrogé par un député sur ce sujet, le ministre de la Fonction publique a précisé depuis, que la loi du 27 décembre 1994 ne changeait en rien sur le fond la situation des contractuels : si leur embauche s'avérait justifiée par l'un des motifs précités, leur contrat était renouvelé. Dans le cas contraire, ils seraient invités à passer le concours.

LE RECRUTEMENT DES FONCTIONNAIRES TERRITORIAUX

Si vous souhaitez rejoindre les 1 350 000 fonction-naires territoriaux pour exercer vos talents de communicant, vous devrez passer l'un des deux concours de catégorie A qui vous conféreront le grade d'administra-teur ou d'attaché.

Lorsque vous aurez réussi le concours, vous serez inscrit sur une liste d'aptitude et vous disposerez de deux ans pour trouver une collectivité d'accueil. Vous serez sta-giaire pendant un an (attaché) ou dix-huit mois (adminis-trateur), période pendant laquelle vous suivrez une for-mation théorique.

Bien sûr, vous ne commencerez pas nécessairement dans un service de communication. Les concours corres-pondent à des grades dans la fonction publique et non à des spécialités. En revanche, vous pourrez vous former aux techniques de la communication en suivant les ses-sions organisées par le CNFPT, et postuler ensuite sur des postes plus spécialisés.

Pour les responsables de la communication et les journalistes dans les collectivités locales, plusieurs solutions ont été avan-cées : la création d'un statut particulier ou la mise en place d'une option communication au concours. Pour le moment, aucune n'a été retenue et elles ne soulèvent pas non plus l'enthousiasme de la profession.

SOUVENT CONTRACTUELS

La volonté de puiser davantage dans le vivier des fonctionnaires sans affectation se heurte bien souvent au désir de l'élu de recru-ter à ce poste, non seulement un vrai professionnel qui figure rarement sur la liste d'aptitude, mais également un homme ou une femme de confiance. Le recours aux contractuels reste important mais n'est plus systématique.

▬▬▬ Des « politiques » et des institutionnels

Dans les collectivités territoriales, il convient également de faire la distinction entre ceux qui communiquent sur l'institution et les « politiques ».

Les « politiques ». Ils travaillent toujours au sein du cabinet du maire (ou du président du conseil général ou régional). On les trouve souvent auprès de personnalités qui disposent également d'un mandat national (député ou sénateur). Ils relayent auprès des médias les travaux et interventions de leur patron dans son assemblée, expliquent sa position sur un débat national. Une bonne culture générale, une bonne compréhension du fonctionnement des assemblées et des partis, un intérêt prononcé pour les affaires publiques, un solide sens politique (saisir que ce que dit X n'est pas à l'intention de Y à qui il s'adresse présentement, mais à celle de Z qui a dit l'autre jour dans l'émission de M que…) et, enfin, une affinité évidente avec la personnalité qu'ils défendent auprès des médias, constituent leur dénominateur commun minimal. Le recrutement s'effectue essentiellement par connaissance ou recommandation.

Les institutionnels. Plus étoffée, l'équipe de communication chargée de diffuser une information sur l'institution concentre l'essentiel de ses efforts en direction de la population de la ville. Elle communique sur tout ce que proposent les différents services de la mairie pour faciliter et améliorer la vie des gens. Elle organise également des campagnes d'intérêt général (santé publique, solidarité), des manifestations culturelles ou sportives, des réunions de concertation pour l'aménagement d'un quartier de la ville…

L'outil favori de cette équipe, essentiellement tournée vers une communication de proximité, reste le journal municipal. Les

UN HOMME À QUATRE CASQUETTES

Les profils recherchés pour le poste de responsable de communication locale ont évolué au fil des années. « Dans les années 75-80 dominait l'approche journalistique pour la réalisation d'un bulletin municipal d'informations, précise André Hartereau, auteur d'un ouvrage sur la communication publique territoriale, édité par le CNFPT. Dans les années 80-90, l'approche marketing a généré des "carrefours de l'Europe" et des "capitales" à chaque coin de France. Actuellement, c'est l'approche citoyenne qui domine.

En réalité, ces profils correspondent à tous les besoins en communication d'une collectivité : la promotion des services rendus (journaux, plaquettes), la promotion de la collectivité (rivalité et concurrence entre les collectivités territoriales), le renforcement de la cohésion sociale (politique de la ville, apparition de directeurs de la citoyenneté, etc.) et enfin la mobilisation interne (c'est la communication interne à l'adresse des agents de la collectivité et des acteurs locaux). Dans l'idéal, le responsable de la communication porte ces quatre casquettes… ou, si les moyens le permettent, elles sont réparties sur plusieurs personnes. »

informations remontent des services de la mairie ou des comités de quartiers. Le responsable de la communication décide des sujets en collaboration avec le maire, rédige lui-même les textes ou envoie en reportage des journalistes pigistes ou salariés dont il relit ensuite les textes. L'activité éditoriale se prolonge généralement avec d'autres supports destinés à présenter la ville aux habitants ou aux investisseurs potentiels, par exemple. Les nouvelles technologies de l'information se développent. Bien qu'elles concernent encore peu de monde sur l'ensemble de la population, on constate que les plus jeunes se connectent facilement sur le site de leur ville et apprécient de pouvoir s'y exprimer directement. La possibilité de simplifier des démarches administratives, en remplissant directement des formulaires, est souvent mise en avant. La crainte de créer ainsi un fossé entre les générations ou encore de remplacer peu à peu le contact direct avec la population reste toutefois encore présente.

« Les services de communication externe et interne sont complètement étanches, regrette André Hartereau, auteur d'un ouvrage sur la communication publique territoriale. La communication citoyenne qui concerne les quartiers se fait plus avec des sociologues, tandis que la communication externe est réalisée par des gens issus d'école de commerce ou de marketing. Pourtant c'est le même territoire et, à priori, le même patron ».

▬▬▬ Des convictions...

Recruté par le maire, le responsable de la communication de la ville n'a pas à faire état d'un passé de militant particulier. Cependant, communiquer sur ce qui se fait dans une ville, c'est aussi nécessairement communiquer sur les choix de gestion, sur les priorités d'un homme ou d'une femme politique.

Les débats qui ont animé les villes conquises par le Front national l'ont bien montré : les choix politiques ne s'expriment pas seulement dans les grandes questions nationales (chômage, sécurité, immigration, etc.) mais aussi dans la programmation des centres culturels, la sélection des ouvrages dans les bibliothèques ou la redistribution des aides accordées par la municipalité.

Si le maire décide avec son conseil municipal de développer des actions en faveur des plus démunis, de l'investissement économique, ou encore de la défense de l'environnement, vous communiquerez sur ces problèmes et les solutions apportées sans état d'âme. En d'autres termes, assurez-vous d'être à peu près en accord avec la philosophie générale de la municipalité auprès de laquelle vous postulez !

LE DIRCOM LOCAL

L'association Melting Com et la *Gazette des communes* ont réalisé un sondage en décembre 1995 auprès de 174 élus et directeurs de la communication qui permet de dresser un portrait du directeur de la communication en collectivité locale. Un portrait qui n'a pas fondamentalement changé depuis, « même si on compte un peu plus de dircoms fonctionnaires », précise Jean-Marc Binot, journaliste à la *Gazette*.

Homme ou femme, il est jeune : 72,5 % avaient 40 ans ou moins et un peu plus de la moitié occupaient ce poste depuis moins de quatre ans.

Il est diplômé : bac+4 au minimum pour plus de la moitié d'entre eux. 37 % avaient une formation en communication, même si les journalistes reconvertis restaient majoritaires.

Son salaire est modeste : à peine un quart des sondés gagnait plus de 200 000 F par an. Les mieux rémunérés sont titulaires d'un bac+5 et travaillent dans une grande agglomération.

Ses qualités : les qualités relationnelles, la polyvalence (il faut aussi savoir monter des manifestations, négocier un sponsoring, utiliser le marketing direct, etc.), des qualités rédactionnelles et, bien sûr, le sens de l'organisation.

Il est lié à l'élu : plus de 26 % avaient trouvé ce poste par relation. Moins de 20 % déclaraient être fonctionnaires. Enfin, 80 % dépendaient directement d'élus ou du cabinet.

Il est aussi au service de la population : 35 % affirmaient intervenir dans la communication politique, 48 % dans la communication interne et 87 % dans la communication publique.

« Lorsque Gilbert Bonnemaison m'a proposé de venir travailler à la mairie d'Épinay-sur-Seine, j'étais ravie, se souvient Séverine Aurin qui a été l'attachée de presse de la municipalité. J'avais envie de faire partie de son équipe, de l'aider à véhiculer ses idées. Mais pour moi, ce n'est pas du militantisme : je n'ai la carte d'aucun parti. J'adhère à ses idées, j'ai envie de les faire partager. C'est mon rôle de citoyenne ! »

« Je ne suis pas une militante, reconnaît Isabelle Bérend, directrice de la communication à la mairie de Rueil-Malmaison. Mais j'ai plaisir à travailler avec Jacques Baumel. Il faut avoir de l'admiration pour la personne avec laquelle on travaille. On ne vend pas un produit, mais des idées ! »

▬▬▬ Le *feeling* avant le profil

Les qualités pour exercer dans les collectivités locales sont les mêmes que celles qui sont appréciées dans le privé. Ajoutez cependant quelques cordes à votre arc : une bonne connaissance du fonctionnement des collectivités locales et de leurs prérogatives respectives, une sensibilité au monde associatif… et un intérêt pour les gens d'une façon générale !

En effet, le public des professionnels de la communication en collectivités locales, c'est la presse locale, les partenaires économiques, mais surtout et avant tout, toute la population avec ses grandes et ses petites misères (dans la première catégorie : quartier en difficulté, échec scolaire, pauvreté… ; dans la seconde : lampadaire trop puissant, chien bruyant, carrefour dangereux, problème de clôture…).

« Il n'existe pas de profil idéal pour faire de la communication dans les collectivités locales, constate un chasseur de têtes pour les collectivités locales. C'est l'un des postes les plus difficiles à traiter. En plus de la maîtrise de techniques qu'on peut sérier (savoir très bien rédiger, par exemple), il faut un sens politique qu'on a ou pas. C'est donc à 100 % une question de *feeling*. »

LA FORMATION À LA COMMUNICATION PUBLIQUE

L'association Communication publique a organisé des rencontres sur l'évolution de la communication publique. Nous rapportons ici les propos concernant la spécificité de la formation, mais vous retrouverez l'ensemble des conclusions de ce bilan dans la lettre de l'association du dernier trimestre 1999.

« La communication publique nécessite une formation adaptée, comportant une sensibilisation théorique et pratique aux spécificités et aux contraintes du service public. Depuis dix ans, l'offre de formation les a intégrés peu ou prou, qu'il s'agisse de formation initiale ou continue.

En premier lieu, l'acquisition théorique des connaissances inclut maintenant l'environnement juridique dans lequel devront évoluer les responsables de communication publique, notamment des collectivités locales : le Code des marchés publics, la loi du 15 janvier 1990, la loi Sapin, etc. Ensuite, la différenciation par rapport au secteur privé porte sur la finalité et les modalités de la communication publique : notion d'intérêt général, service au public, sens de la relation, processus de décision, déontologie, etc. Trois particularités doivent être prises en compte dans ce type de formation :
• le rapport au politique et son influence sur la communication de service public (cf. les rapports souvent difficiles entre communication institutionnelle et communication politique ou électorale, etc.) ;
• le rôle prépondérant de la relation de service avec les usagers et de la communication de changement, faisant interagir communication externe et interne ;
• la nécessité croissante d'évaluer les actions et les politiques de communication, passant par la définition d'outils de mesure fiables et adaptés, et la maîtrise de techniques spécifiques (enquêtes quantitatives/qualitatives...) ».

JOURNALISTE EN COLLECTIVITÉ TERRITORIALE

L'Association nationale des journalistes territoriaux (ANJT), créée en novembre 1991, estime que 1 200 à 1 500 professionnels exerceraient en France cette activité. Toutes les mairies n'utilisent pas les services de journalistes et il existe, comme pour d'autres activités, des disparités importantes d'une collectivité à l'autre. Dans les petites villes, c'est souvent le secrétaire de mairie qui rédige un bulletin trimestriel ou annuel. Les journalistes territoriaux travaillent plus fréquemment pour les communes plus importantes, les communautés urbaines, les conseils généraux et régionaux.

La réalisation de *Strasbourg Magazine*, par exemple, occupe trois personnes en permanence : un rédacteur en chef, une journaliste et une personne chargée de la maquette. Une dizaine de pigistes et une photographe leur apportent un concours régulier. L'équipe de Louis Nore, rédacteur en chef du magazine, édite ainsi onze numéros d'une quarantaine de pages par an et tous les quatre mois, un numéro spécial « Communauté urbaine ». Leur public est large : 230 000 habitants sur la ville de Strasbourg, 451 000 habitants sur les 27 communes de la communauté urbaine.

▬▬ Le casse-tête de la carte de presse

Comme leurs collègues responsables de communication, les journalistes territoriaux se heurtent à un problème de statut. Sur les 250 adhérents de l'ANJT, 95 % travaillent sous contrat d'une durée d'un à deux ans et 5 % sont fonctionnaires.

Pour beaucoup, la conservation ou l'obtention de la carte de presse resterait le moyen le plus efficace d'affirmer leur identité professionnelle. Mais bien qu'ils répondent au premier critère d'attribution – tirer l'essentiel de leurs revenus d'une activité journalistique –, ils n'ont pas droit au titre de journaliste, puisqu'ils sont employés par une collectivité publique. Pour être reconnus par la profession, les journaux, radios ou télévisions relevant des collectivités publiques doivent être déclarés en association loi de 1901 et rétribuer le journaliste à ce titre. Mais les élus craignent de plus en plus les accusations de gestion de fait – le maire n'apparaît pas dans l'organigramme de l'association, mais il est clair que c'est lui qui la dirige – et préfèrent désormais dissoudre ces structures et rapatrier en mairie leurs journaux municipaux. Le problème de la carte de presse reste donc entier. L'ANJT travaille à l'élaboration d'un statut de la presse des collectivités territoriales et réfléchit en collaboration avec le CNFPT à la création d'un contrat type destiné à clarifier l'embauche des contractuels.

▬▬▬ Une plume au service du maire ?

Au-delà de ces problèmes juridiques et de statut, le journaliste territorial reste-t-il un journaliste dans l'âme ? Peut-il exercer son métier avec la liberté et l'indépendance exigées par sa déontologie ? N'est-il pas au contraire le porte-plume du maire, son porte-parole obligé et soumis ? La tendance naturelle des élus les conduit déjà à essayer de contrôler la presse régionale… on imagine alors aisément les pressions qu'ils doivent être tentés d'exercer sur un journaliste salarié par eux ! Le risque, bien sûr, n'est pas nul, mais les situations les plus disparates coexistent.

Lorsque les élus ont la volonté de créer un vrai journal d'information pour la population, qu'ils en délèguent la réalisation à une équipe de spécialistes, le journaliste peut travailler en accord avec ses principes professionnels. Tout autant que dans n'importe quel autre journal ou magazine. « L'essentiel, estime Louis Nore, c'est d'être en accord avec une ligne éditoriale. Lorsqu'on m'a embauché à Strasbourg, on m'a dit que le journal ne devait pas être un journal militant. Il devait rendre compte aux Strasbourgeois des actions menées dans le cadre du programme sur lequel le maire s'est engagé et les informer sur tout ce qui se fait dans la ville. Mon interlocuteur privilégié est

le directeur de la communication à qui je soumets une fois par mois le sommaire que nous avons établi. La maquette terminée, nous faisons une sortie laser que nous envoyons au maire, au dircom, au directeur de la publication (le premier adjoint), mais cela se passe trente-six heures avant la parution. »

Au quotidien, dans ces conditions d'autonomie, le travail du journaliste territorial ne présente pas de différence notable avec celui de son collègue de la presse quotidienne régionale (PQR). Il tient compte de l'actualité de la ville, enquête sur le terrain, participe aux conférences de presse. Aux qualités générales de sa profession, il ajoutera cependant une plus grande fermeté pour maintenir le cap défini initialement.

POUR EN SAVOIR PLUS

• Association nationale des journalistes territoriaux (ANJT), 22, rue de la Division-Leclerc, 67000 Strasbourg, tél. 03.88.60.93.47. Il existe 14 délégations régionales, et le siège social se trouve 40, résidence du Nouvelet, 94310 Orly, tél. 01.48.92.77.03.
• Centre national de la fonction publique territoriale (CNFPT), 10-12, rue d'Anjou, 75008 Paris, tél. 01.55.27.44.00, site Internet : cdc-mercure.fr

PARTIE 3

LES FORMATIONS

L es années 80 ont vu éclore une multitude d'écoles ou de cycles universitaires destinés à former de jeunes vocations à la communication et à la publicité. Une foule d'étudiants s'est engouffrée dans ces nouvelles filières mais tous n'ont pas trouvé le bonheur à la sortie. Formations mal adaptées, « fourre-tout » (on y apprend un peu de tout, pas grand-chose donc) ou excellentes écoles reconnues par les professionnels : le pire côtoie souvent le meilleur. Il n'est pas toujours aisé de se faire une opinion ou de choisir parmi les multiples options proposées.

Il existe en effet tous les types de formation à la communication : des courtes (BTS, DUT), des longues théoriques (licence, maîtrise, DEA) ou plus professionnelles (licences professionnelles, MST, IUP, DESS). On peut les commencer au niveau du bac (BTS, DUT), à bac+1 (IUP), à bac+2 ou à bac+4 (dans des écoles spécialisées). S'il y en a pour tous les goûts, il y en a aussi pour toutes les bourses ! Hors de l'enseignement public, chaque année d'études vous coûtera en moyenne 30 000 F.

S O M M A I R E

COMMENT CHOISIR SA FORMATION ?

Peut-on apprendre à communiquer ? Comme dans toutes les professions où le tempérament et les qualités personnelles de l'individu déterminent pour une large part ses aptitudes à exercer, les formations spécifiques à la communication et à la publicité ont encore du mal à s'imposer. Bon nombre de professionnels pensent qu'un excellent niveau de culture générale et une disposition naturelle à la communication, confirmée par une expérience sur le terrain, valent tous les diplômes du monde.

D'autres admettent l'utilité d'une **formation**, mais pas n'importe laquelle ! Le plus souvent, les professionnels prêchent pour leur chapelle. Diplômés ou intervenants extérieurs de l'école, ils défendent d'abord leur formation et recrutent en priorité des jeunes issus de celle-ci. Vous rencontrerez ainsi des inconditionnels de l'Institut des hautes études en sciences de l'information et de la communication (CELSA) ou d'une combinaison « diplôme de Sciences po

> **FORMATION**
> Quel que soit le chemin que vous emprunterez pour atteindre votre objectif, vous devrez arriver avec ce bagage minimal que représente la culture générale ou une excellente connaissance d'un domaine qui vous passionne (art, théâtre, cinéma, etc.)

ou d'une école de commerce avec un troisième cycle en communication », tandis que d'autres vanteront les mérites d'une formation très professionnelle (un BTS suivi d'une MST, etc.). Certains attachés de presse ont un faible pour l'École française des attachés de presse et des professionnels de la communication (EFAP) ou un diplôme de journalisme. À l'inverse, des aversions s'expriment souvent à la suite de mauvaises expériences avec des stagiaires qui viennent ternir l'image d'une formation.

Enfin, si, selon l'avis des professionnels, les formations à la communication ne sont pas absolument indispensables, elles présente toutefois l'avantage de vous introduire, par les stages et la présence de professionnels dans les cursus d'enseignement, dans un milieu difficile à pénétrer.

LES QUESTIONS À SE POSER

Face à l'éventail de possibilités proposées, comment choisir la bonne formation ? Au risque de vous décevoir, nous devons vous confirmer qu'il n'existe pas de voie royale. La bonne formation sera donc celle qui correspondra le mieux à vos ambitions professionnelles, vos aptitudes… et vos moyens financiers. Avant d'arrêter votre choix, posez-vous ces questions : quel métier, quel secteur m'attirent le plus ? Combien d'années ai-je envie d'étudier ? Suis-je prêt ou puis-je me permettre de dépenser 100 000 F dans une formation ?

Quelles sont vos ambitions professionnelles ?

Vous l'avez constaté au fil des témoignages qui émaillent les chapitres de ce livre, la communication peut s'exercer à des niveaux de responsabilité très différents. Or, toutes les formations n'ont pas vocation à former des directeurs de la communication. Si vous briguez clairement le poste de directeur de la communication (dircom) de l'un des grands groupes français, entamez dès à présent des études dans une école de commerce que vous compléterez par un troisième cycle de communication.

En revanche, si vous avez une passion – la littérature, le sport, le théâtre, le cinéma, la musique – et si le métier d'attaché de presse vous tente, ce cursus ne sera pas nécessaire. Une bonne culture et l'acquisition des techniques de relations presse seront mieux adaptées. Vous avez alors plusieurs possibilités : soit intégrer une école d'attachés de presse, profiter des stages pour proposer vos services auprès des professionnels qui vous attirent et laisser votre passion vous enrichir au rythme de vos lectures et recherches personnelles, soit faire l'inverse (la passion à l'école et les relations presse sur le tas ou en formation complémentaire) !

▬▬ Quel est votre goût pour les études ?

L'idée d'étudier pendant cinq ans après le bac vous est-elle douce ou au contraire douloureuse ? Répondez sincèrement à cette question. Si vous vous engagez dans une filière universitaire, vous signez pour au moins quatre ans ! Si vous vous arrêtez au bout de deux ans, votre DEUG sera une arme bien faible pour affronter le marché du travail.

Si vous n'êtes pas très sûr de votre endurance ou si les études théoriques vous rebutent un peu, vous pouvez envisager de commencer par obtenir un BTS communication des entreprises ou un DUT info-com. Si vous sortez dans les meilleurs, vous pourrez demander une équivalence et poursuivre vos études dans un deuxième cycle de communication. Si la mouche « études » vous a décidément piqué, vous aurez enfin la possibilité de clore ce parcours par un DESS. Cela vous donnera un profil original de niveau bac+5, mais très professionnalisé.

▬▬ Êtes-vous prêt à payer pour étudier ?

Bac+2, bac+3, bac+4... vos études peuvent vous coûter quelques milliers de francs ou plus de cent mille francs. Comment choisir ? En réalité, vous n'aurez pas toujours le choix. Si vous souhaitez passer un BTS, par exemple, vous trouverez à peine plus de 10 % d'établissements publics qui doivent sélectionner 35 élèves parmi les centaines de dossiers reçus !

Les écoles spécialisées en communication sont toutes des écoles privées dont les frais de scolarité s'élèvent en moyenne à 30 000 F par an. Si leur coût élevé ne constitue en rien un gage de qualité, il en existe cependant de très anciennes qui ont au fil des ans infiltré à peu près tous les milieux de la communication. Elles présentent en outre l'avantage d'être proches du monde du travail. L'intervention de professionnels et la proportion importante de stages dans les enseignements permettent une meilleure approche de l'entreprise ou de l'agence.

COMMENT CHOISIR UNE ÉCOLE PRIVÉE ?

Commencez par vous demander, comme pour toute formation, ce que vous voulez faire exactement : les écoles ont toutes plus ou moins une spécialité. Celles qui prétendent former à tous les métiers de la communication et de la publicité, qu'il s'agisse de l'attaché de presse ou du directeur artistique, ne vous aideront pas à devenir performant dans le domaine qui vous intéresse.

Ensuite, étudiez attentivement les programmes : quelles sont les disciplines dominantes ? Le matériel de l'école répond-il à ses ambitions ? Si on vous annonce, par exemple, que la formation à la publication assistée par ordinateur (PAO) ou au multimédia constitue une priorité, renseignez-vous sur le nombre d'ordinateurs, les logiciels… Qui enseigne ? La présence de professionnels est un atout. La venue de stars de la communication ne doit pas vous déterminer : une star peut toujours annuler ses conférences ou se révéler peu pédagogue et ne vous embauchera pas forcément. Combien y a-t-il de stages, comment sont-ils organisés ? Vous aurez beaucoup de difficultés à obtenir des informations sur l'insertion professionnelle des dernières promotions : les données manquent un peu d'objectivité. Demandez plutôt s'il existe une association d'**anciens élèves** et comment vous pouvez contacter ces derniers.

> **ANCIENS ÉLÈVES**
> L'idéal pour vous serait de discuter de l'école avec eux, d'essayer de cerner les avantages et les inconvénients de la formation en fonction de vos propres objectifs.

Ne vous réfugiez pas dans la facilité. Une école qui sélectionne à l'entrée ne doit pas vous effrayer. Elle cherche à savoir si vous avez quelques aptitudes à la communication (curiosité, créativité,

DES LABELS DE QUALITÉ

Le ministère de l'Éducation nationale et de l'Enseignement supérieur ainsi qu'une commission d'homologation accordent aux écoles privées des labels de reconnaissance, qui sont le gage d'une certaine qualité d'enseignement.

L'école est reconnue après avoir diplômé au moins une promotion et après une enquête menée en bonne et due forme par le rectorat, qui prend en compte notamment l'importance du corps professoral permanent. La reconnaissance de l'école permet d'obtenir des bourses d'État.

Le diplôme est visé quand l'école est déjà reconnue depuis au moins cinq ans. Ce label est obtenu après une enquête approfondie sur les programmes et la pédagogie ; il peut être retiré en cas de défaillance de l'école. Seul ce visa autorise une école à délivrer un diplôme, car ce terme est protégé par la loi.

L'homologation du titre garantit un niveau de qualification. Le niveau I correspond à un niveau égal à celui des écoles d'ingénieurs (bac+5), le niveau II correspond à la licence ou la maîtrise, le niveau III à un diplôme de niveau bac+2 (BTS, DUT, DEUG).

Certaines écoles prétendent par ailleurs être accréditées par une fédération ou une association professionnelle. En fait, aucune de ces fédérations ne fait l'unanimité dans le secteur de la communication. Et les fédérations qui reconnaissent ces écoles comptent des adhérents parmi les enseignants de ces mêmes établissements. Bref, soyez très vigilants et méfiez-vous de ces labels « bidon ».

esprit de synthèse…) ou des dispositions pour acquérir ces qualités rapidement. Une dissertation, un questionnaire d'actualité, un test de langue et un entretien de motivation viennent vérifier votre niveau de culture générale, votre capacité d'analyse.

Face à la baisse des inscriptions, les écoles privées ont dû réduire leurs exigences. « Nous éliminons environ 10 % à 15 % des candidats, ceux qui ont un niveau d'expression incompatible avec ces métiers. Mais, à la fin de la première année, entre 20 % et 25 % des élèves quittent l'école par manque d'assiduité ou de résultats », explique Laurent Bel, directeur des études à l'École française des attachés de presse et des professionnels de la communication (EFAP).

Enfin, ne vous inscrivez jamais avant d'avoir visité les locaux de l'école qui vous intéresse et discuté avec quelques élèves : la brochure ou un entretien téléphonique peuvent facilement vous éblouir et vous faire miroiter des diplômes prestigieux mais inconnus hors de ses murs !

LES FORMATIONS COURTES

Les formations courtes en communication sont pour l'essentiel localisées dans les sections de techniciens supérieurs (STS) préparant au brevet de technicien supérieur (BTS) communication des entreprises et dans les départements information-communication des instituts universitaires de technologie (IUT), qui délivrent le diplôme universitaire de technologie (DUT). Comme leurs noms l'indiquent, ces formations débouchent sur des postes de technicien et non sur des emplois de concepteur ou de stratège. Parmi les diplômés bac+2 du secteur tertiaire, les titulaires du BTS communication des entreprises et le DUT information-communication sont parmi ceux qui poursuivent le plus leurs études.

LE BTS COMMUNICATION

Le BTS communication des entreprises se prépare, comme tous les BTS, en deux années après le bac. Il a remplacé en 1995 le BTS communication et action publicitaires, très orienté vers la publicité, dont les titulaires rencontraient de grosses difficultés d'insertion dans les agences de publicité. En prenant davantage en compte la communication hors média, le programme de ce BTS nouvelle formule est censé élargir le champ d'investigation professionnelle des diplômés. L'ambition est d'amener les étudiants à devenir à la fois des commerciaux sachant négocier, des techniciens maîtrisant tous les outils de la communication et des gestionnaires capables d'optimiser un budget.

Un BTS très convoité

125 établissements, publics, privés sous contrat et privés hors contrat, proposent des préparations au BTS communication

LE PROGRAMME DU BTS

Le tableau ci-dessous donne les horaires moyens par semaine en première et en deuxième année. La formation prévoit également un stage de douze semaines en entreprise.

Matières	1re année	2e année
Culture générale et pratique de la communication	3 h	3 h
Psychosociologie de la communication	3 h	2 h
Expression visuelle et production	3 h	3 h
Langue vivante étrangère	3 h	2 h
Droit	2 h	2 h
Économie générale	2 h	2 h
Économie d'entreprise	2 h	2 h
Études et recherches appliquées à la communication	2 h	2 h
Stratégie de communication des entreprises	6 h	6 h
Actions appliquées	4 h	4 h
Aide à la vie professionnelle	1 h	1 h
Total	31 h	27 h

des entreprises (vous trouverez leurs coordonnées dans le « Carnet d'adresses » en fin d'ouvrage). La grande majorité d'entre eux est privée, facilement accessible mais les frais de scolarité s'y élèvent à près de 30 000 F par an. En revanche, la sélection à l'entrée des lycées publics est sévère. À Paris, l'École nationale de commerce (ENC) Bessières, par exemple, recrute sur dossier 35 élèves parmi… 1 800 candidats. À Marseille, le lycée Saint-Exupéry reçoit en moyenne un millier de candidatures pour 35 places. La sélection s'effectue d'abord sur dossier (notes du bac français, résultats de première et terminale), puis sur entretien. Il s'agit pour le jury de sonder la motivation du candidat et son ouverture sur le monde économique et social.

LE DUT INFORMATION-COMMUNICATION

Le DUT information-communication (ex-carrières de l'information) se subdivise en cinq options dès la première année d'études : communication d'entreprise, information et documentation d'entreprise, journalisme, métiers du livre, publicité. Treize IUT disposent d'une option communication d'entreprise (Besançon, Bordeaux 3, Caen, Grenoble 2, Lille 3, Lyon 3, Nancy 2, Nantes, Nice, Paris 5, Rennes 1, Strasbourg 3, Toulouse 3). Vous trouverez leurs coordonnées dans le « Carnet d'adresses » en fin d'ouvrage.

Comme le BTS, le DUT doit mener directement à la vie active. Mais, à l'heure actuelle, la concurrence est rude pour les bac+2 ! De plus en plus de diplômés choisissent de poursuivre leurs études. Attention, malgré leurs deux années d'études, les DUT n'obtiennent souvent l'équivalence que de la première année de DEUG. Ceux qui présentent les meilleurs dossiers scolaires peuvent cependant postuler l'entrée en licence d'information et communication, en IUP ou en MST de communication (voir le chapitre « Les filières universitaires »).

La sélection à l'entrée des IUT info-com

Tous les bacheliers, quelle que soit leur série de bac, peuvent se présenter à l'entrée des IUT information-communication, à condition cependant qu'ils aient étudié deux langues étrangères, dont l'anglais. Les dossiers doivent être retirés généralement à partir du mois de février jusqu'à la mi-mars et remis avant la mi-juin. Chaque institut organise librement la sélection.

À Paris 5, l'IUT reçoit au total plus de 2 300 candidatures, alors qu'il ne dispose que d'une trentaine de places dans chacune des quatre options : métiers du livre, information et documentation d'entreprise, communication d'entreprise et publicité. « Ces deux dernières options attirent beaucoup plus de candidats que l'option documentation d'entreprise, qui souffre manifestement d'un déficit d'image auprès des bacheliers, précise-t-on à l'IUT. C'est dommage, car nous avons de plus en plus d'offres d'emploi et de stages pour les étudiants de cette option que nous ne pouvons satisfaire. » Les candidats parisiens sont jaugés à l'aune de leurs notes de terminale en histoire et français, répondent à un questionnaire à choix multiple (QCM) de culture générale et de langue, et passent, en cas de succès, un entretien de motivation. Un dossier scolaire solide, une bonne connaissance de votre programme d'histoire et d'économie de terminale et une ouverture sur le monde par la lecture d'un journal constitueront vos meilleurs atouts.

▬▬▬ L'option communication d'entreprise

L'enseignement mêle culture générale (sciences humaines, institutions politiques, systèmes économiques, droit de la presse, langues…), techniques professionnelles (fabrication de produits, informatique, traitement de texte et PAO…) et approche du milieu professionnel (la presse d'entreprise, la communication locale, l'audiovisuel, les médias…).

Les cours théoriques sont émaillés de cas concrets. Dès la première année, les étudiants peuvent élaborer des stratégies de communication pour une entreprise. Ils y travaillent en groupe toute l'année et présentent leur plan de campagne en juin.

LES POURSUITES D'ÉTUDES

La communication exige un niveau d'études de plus en plus élevé. Poursuivre ses études est un atout pour une meilleure

LE PROGRAMME DU DUT INFO-COM

Les études en IUT se déroulent sur deux ans à raison d'une trentaine d'heures de cours, travaux dirigés et travaux pratiques par semaine. Elles prévoient en outre un stage en entreprise de dix semaines au minimum. Le tableau ci-dessous donne les horaires des première et deuxième années cumulées pour les options communication d'entreprise et publicité.

Option communication d'entreprise		Option publicité	
Savoir communiquer			
Bases théoriques	110 h	Bases théoriques	50 h
Techniques d'expression écrite et orale	105 h	Expression publicitaire	95 h
		Expression plastique, musicale, volumique	20 h
Anglais	100 h	Anglais	100 h
Autre langue	100 h	Autre langue	100 h
Pratique professionnelle en langue étrangère	100 h	Pratique professionnelle en langue étrangère	100 h
Comprendre l'environnement			
Le monde contemporain	120 h	Le monde contemporain	120 h
Environnement économique et juridique	115 h	Environnement économique et juridique	85 h
Économie d'entreprise	75 h	Économie d'entreprise	80 h
Le milieu professionnel	80 h	Le milieu professionnel	75 h

Option communication d'entreprise		Option publicité	
Connaître les outils			
Informatique	50 h	Informatique de base	45 h
Bureautique	40 h	Outils d'études et d'enquêtes ; logiciels marketing	75 h
PAO	40 h	Organisation des médias et gestion de trafic	50 h
Chaîne graphique	40 h	Suivi de fabrication ; logiciels graphiques et de mise en page	65 h
Audiovisuel	40 h	Informatique publicitaire et PREAO	65 h
Multimédia	40 h		
Maîtriser les méthodes et les techniques professionnelles			
Stratégies	100 h	Études	60 h
Études	105 h	Stratégies marketing	60 h
Ateliers, productions et réalisations	200 h	Stratégie de communication	75 h
Techniques	90 h	Création	60 h
Projets tutorés	300 h	Production publicitaire	40 h
		Ateliers, productions et réalisations	200 h
		Projets tutorés	300 h

LES LICENCES PROFESSIONNELLES

Voici les coordonnées des quelques licences professionnelles qui peuvent faciliter l'insertion professionnelle des titulaires de BTS ou de DUT information et communication.

Licence multimédia
IUT de Corse, A Citadella, 20250 Corté, tél. 04.95.46.17.31 ; sur Internet : www.univ-corse.fr

Licence communication, informatique et multimédia
IUT de Montreuil, 140, rue de la Nouvelle-France, 93100 Montreuil, tél. 01.48.70.37.06. Sur Internet : www.iut.univ-paris8.fr

Licence ingénierie des projets multimédias
IUT de Bayonne, 3, avenue Jean-Darrigand, 64115 Bayonne cedex, tél. 05.59.52.89.55. Sur Internet : www.bay.univ-pau.fr

Licence animateurs des technologies de l'information
IUT de Saint-Étienne, 28, avenue Léon-Jouhaux, 42023 Saint-Étienne cedex 2. Sur Internet : www.iut.univ-st-etienne.fr

Licence création multimédia
Université de La Rochelle, Pôle Sciences et technologies, avenue Michel-Crépeau, 17042 La Rochelle cedex 1, fax : 05.46.45.82.42. Sur Internet : www.univ-lr.fr

insertion professionnelle et une évolution plus rapide. Les poursuites d'études après un DUT ou un BTS sont assez nombreuses. Les plus motivés poursuivront avantageusement vers les années post-DUT ou post-BTS, tenteront d'intégrer un IUP ou une école privée spécialisée. Les universités proposent également des DU de deuxième cycle, des diplômes reconnus par l'université qui les délivrent, mais qui peuvent permettre de se spécialiser dans un secteur particulier. C'est par exemple le cas à l'IUT de Nice qui prépare en un an à un DU communication et marketing européen, assorti de deux options chargé de communication externe et interne, et produits de luxe ; à l'IUT de Troyes avec le DU correspondant d'entreprises en nouvelles technologies de l'information et de la communication, qui s'effectue en alternance ; ou encore à l'IUT de Rennes avec un DU communication et gestion des entreprises à vocation européenne, diplôme multinational qui prévoit un stage à l'étranger de trois à cinq mois.

Une nouvelle possibilité vient également de s'ouvrir aux titulaires de diplômes de niveau bac+2 : les licences professionnelles. Créées avec un objectif très clair – faciliter l'insertion sur le marché de l'emploi –, elles ont associé les entreprises à leur élaboration : les premières licences sentent donc bon l'air du temps. À la rentrée 2000, une trentaine d'entre elles préparaient à travailler autour des nouvelles technologies. Une spécialité qui peut intéresser les services de communication. La formation accorde une large place à la professionnalisation : au moins un quart des enseignements sont dispensés par des professionnels et les étudiants passent de 12 à 16 semaines en stage. La finalité est l'insertion professionnelle, mais il reste possible pour les meilleurs élèves de poursuivre en maîtrise, en IUP ou en MST.

LES ÉCOLES SPÉCIALISÉES

Dix-sept écoles vous proposent des cursus spécialisés en communication en deux, trois, quatre ou cinq ans. Ces écoles sont accessibles directement après le bac ou bien après un premier diplôme de niveau bac+2 ou bac+3. Lorsque vous procéderez à votre choix, n'oubliez pas qu'une formation de niveau bac+2 rencontre une forte concurrence sur le marché du travail et que ce créneau est déjà occupé par les titulaires de BTS et de DUT, diplômes qui bénéficient d'une meilleure réputation auprès des employeurs qu'un simple certificat d'école.

Évitez également les établissements qui promettent de vous former à tous les métiers de la communication en deux ans : vous survolerez tout sans rien approfondir et, quel que soit le domaine dans lequel vous postulerez ensuite, vous serez toujours en concurrence avec une personne mieux préparée que vous sur ce secteur précis de la communication.

Enfin, il faut noter que les écoles s'ouvrent de plus en plus à l'international. Pour ce faire, elles s'implantent à l'étranger ou passent des accords avec des écoles britanniques, américaines, allemandes, espagnoles, italiennes… Par ce biais, elles offrent souvent la possibilité d'effectuer une partie de la scolarité dans un autre pays européen ou aux États-Unis. Il s'agit d'une ouverture positive et séduisante, mais la perspective de passer un an à l'étranger ne doit pas masquer l'intérêt réel de la formation proposée.

Les écoles présentées dans ce chapitre sont orientées sur la communication d'entreprise. La communication recouvrant de larges domaines, la liste complète des formations pourrait à elle seule faire l'objet d'un ouvrage. Pour trouvez les informations concernant les écoles de communication visuelle, graphisme, publicité, multimédia, etc., vous pouvez consulter d'autres ouvrages parus dans notre collection : *Devenir journaliste, Les Métiers du multimédia et d'Internet, Les Métiers du marketing et de la publicité, Les Métiers de l'édition, Les Métiers de la documentation et de la bibliothèque.*

> **Les coordonnées des écoles présentées dans ce chapitre se trouvent dans le « Carnet d'adresses » en fin d'ouvrage. Les frais de scolarité indiqués ici sont ceux qui étaient en vigueur pour l'année universitaire 1998-1999.**

LES ÉCOLES EN TROIS ANS APRÈS LE BAC

À moins de dispenser un important volume d'heures hebdomadaires, comme c'est le cas en STS ou en IUT, trois ans d'études après le bac représentent un plancher raisonnable pour se former à la communication et acquérir une culture générale minimale. Cinq écoles proposent une formation spécifique en trois ans après le baccalauréat. Par ailleurs, un certain nombre d'établissements qui préparent au BTS disposent aussi d'un cycle de formation maison, agrémenté souvent d'une troisième année de spécialisation (voir le paragraphe concernant les formations après un diplôme bac+2, page 117).

L'École française des attachés de presse et des professionnels de la communication (EFAP), créée en 1961, reste la plus ancienne de toutes. Elle recrute au niveau bac pour trois ans après un concours qui élimine de 10 % à 15 % des candidats. Le concours a lieu tous les mois, de janvier à la mi-juillet. Au menu : une épreuve rédactionnelle, un questionnaire sur l'actualité de la communication, un questionnaire de motivation, une épreuve d'anglais et une épreuve facultative d'allemand ou d'espagnol.

L'enseignement de la filière entreprise et médias de l'EFAP vise à donner à ses élèves une culture générale (économie, droit social…), une culture en communication (communication d'entreprise, relations publiques, marketing, publicité…) et une compétence professionnelle. Mais le point fort de cette école est l'immersion dans le milieu professionnel. Le programme prévoit deux stages d'observation d'une durée de six à huit semaines à mi-temps en première année, deux stages d'une durée minimale de neuf à onze semaines l'après-midi (cours le matin) en deuxième année. En troisième année, l'étudiant est en stage à plein temps. « Un tiers de nos élèves signent, grâce à ce stage, leur premier contrat avant même la fin de scolarité », constate Laurent Bel, directeur des études.

L'EFAP est implantée à Abidjan, Bruxelles, Lille, Lisbonne, Lyon, New York et Paris. Le diplôme délivré par l'EFAP est homologué au niveau II. Les frais de scolarité vont de 28 200 F (à Lille) à 38 200 F (à Paris) par an. Comptez de 750 F à 950 F pour les frais de sélection.

L'École supérieure des techniques appliquées de la communication (ESTACOM) a été créée en 1992 par la chambre de commerce et d'industrie (CCI) du Cher, pour répondre à la demande de techniciens supérieurs formés au marketing direct. Implantée à Bourges, l'ESTACOM permet à ses élèves recrutés parmi les bacheliers de passer un BTS communication des entreprises, au terme des deux premières années. En dernière année, accessible également à des diplômés de BTS ou DUT (action commerciale, force de vente, techniques de commercialisation…), les élèves peuvent choisir entre deux spécialisations, l'une en marketing direct, l'autre en communication institutionnelle option publication d'entreprise, communication de crise. Les élèves sont en stage dix-sept semaines sur les deux premières années, et de quatre à six mois en fin de troisième année. Les frais de scolarité s'élèvent à 19 000 F par an.

L'Institut international de communication de Paris (IICP), créé en 1984, propose un certificat en relations publiques en trois ans et un master en communication en quatre ans. Avec le bac, vous entrez en première année, année d'initiation à l'ensemble de ces métiers, qui doit vous permettre de vous orienter vers l'une des filières de l'école. Les cours, émaillés d'études de cas, ont lieu l'après-midi et permettent de libérer les matinées pour des stages d'observation en entreprise. Avec un bac+1, il est possible de postuler en deuxième année (début de la spécialité) où cette organisation des cours reste valable… En troisième année, les cours ont lieu le matin et les étudiants sont en stage l'après-midi pendant au moins trois mois.

Les frais de scolarité s'élèvent à 31 600 F par an. L'école propose aux lycéens intéressés de venir la visiter en période scolaire et d'assister à des cours.

LES ÉCOLES EN QUATRE ANS APRÈS LE BAC

Six écoles forment à la communication en quatre ans après le bac. Parmi elles se trouve l'IICP, décrit ci-dessus, qui propose un master en communication.

Deux établissements, l'**American University of Paris (AUP)** et l'**Euro American Institute of Technology (EAI-Tech**, rattaché à la chambre de commerce et d'industrie de Nice) jouent la carte de l'international et préparent à un Bachelor of Arts en communication, ainsi qu'au TOEFL pour ceux qui le souhaitent. À l'EAI-Tech, dont la moitié des études se déroulent aux États-Unis, les frais de scolarité s'élèvent à 37 000 F par an pour les deux premières années et varient pour la troisième et la quatrième année selon l'université américaine choisie. Ajoutez 6 000 F pour les frais d'inscription et de sélection. À l'AUP, il vous en coûtera 104 000 F par an pendant les trois premières années, 99 200 F la dernière année.

L'Institut supérieur de la communication, de la presse et de l'audiovisuel (ISCPA) à Paris propose une filière journalisme et une filière communication qui débouche au terme de quatre ans sur un certificat d'études supérieures en communication.

La sélection s'opère sur dossier puis sur examen comprenant quatre épreuves (culture générale, anglais, dissertation, entretien). Les trois premières années d'études sont assez généralistes, mettant l'accent sur la culture générale et tous les aspects de la communication. En quatrième année, les étudiants choisissent trois modules sur six dans la spécialité choisie. Quatre mois de stage par an sont obligatoires pendant les trois premières années, six mois en fin de quatrième année. Les frais de scolarité s'élèvent à 29 800 F par an.

L'Institut supérieur d'enseignement des relations publiques (ISERP), créé en 1981, forme en quatre années des professionnels de la communication sous tous ses aspects, qu'il recrute au niveau du bac pour une entrée en première année. L'admission a lieu après examen du dossier et entretien.

Les deux premières années, qui correspondent à un premier cycle, s'emploient, à raison de quatre cents heures par an, à enrichir la culture générale des étudiants avec, au programme : culture et art européens, presse ou histoire des institutions, géopolitique, économie, droit des affaires et du travail. En outre, deux langues vivantes sont obligatoires – dont l'anglais – ainsi qu'une initiation à la sociologie. L'enseignement sur les relations publiques porte sur l'historique, la déontologie et les médias.

Les deux dernières années qui composent le deuxième cycle poursuivent les cours de culture générale mais mettent davantage l'accent sur les relations publiques : droit de l'information, communiqués et dossiers de presse ; communication économique et financière ; journal interne ; exercices pratiques ; études de cas. En quatrième année, les étudiants doivent choisir une option : communication internationale et politique ou marketing et ressources humaines. Les études s'achèvent sur la rédaction et la soutenance d'un mémoire.

Tout au long de la scolarité, des stages favorisent la relation avec le milieu professionnel. Leur durée est de six semaines par an au cours des trois premières années, et de trois mois la quatrième année. En troisième et quatrième années, le stage peut se dérouler à l'étranger (Grande-Bretagne ou États-Unis). Les étudiants qui ont suivi avec succès l'ensemble du cursus et soutenu un mémoire reçoivent le certificat d'études supérieures de communication et relations publiques. Les frais de scolarité s'élèvent à 31 000 F par an, plus 950 F de droit de soutenance pour le mémoire de quatrième année.

LES ÉCOLES APRÈS UN BAC+2

Les écoles présentées ci-dessus et qui forment en trois ou quatre ans après le bac réservent toutes des possibilités d'admission parallèle aux titulaires de bac+2 : BTS, DUT ou DEUG. Les études ne durent alors que deux ou trois ans. L'EFAP a même créé une filière spécifique, EFAP communication, à Levallois-Perret, pour les diplômés bac+2 qui souhaitent se spécialiser en communication.

▬▬▬ Les troisièmes années de spécialisation

Plus d'une quarantaine d'écoles proposent une formation complémentaire d'une année en communication après un BTS ou un DUT. Certaines s'adressent à des étudiants déjà versés dans ce domaine et permettent une spécialisation dans un secteur précis (la communication pour les collectivités locales ou le journalisme d'entreprise, par exemple). D'autres accueillent tous les types de profils pour les initier à l'ensemble des techniques de communication.

28 établissements proposent un diplôme européen d'études supérieures de la communication (DEESCOM). Le programme prévoit neuf modules professionnels (techniques de recherche d'emploi ; marketing fondamental ; structure de la distribution ; marketing international ; publicité et communication ; sociologie des organisations et communication interne ; informatique

appliquée ; analyse financière et prévisionnelle ; anglais), trois modules européens (économie européenne ; approche du droit européen ; institutions européennes) et quatre modules centrés sur la communication (marketing direct ; hors média ; relations publiques ; préparation à l'étude de cas).

Quelques écoles ont choisi également de proposer une année complémentaire aux titulaires d'une licence ou d'un autre diplôme de niveau bac+3. Vous trouverez les coordonnées des établissements qui disposent d'une troisième ou d'une quatrième année de spécialisation dans le « Carnet d'adresses ».

▬▬▬ Les spécialisations en deux ans

Sept écoles proposent une formation en deux ans après un premier diplôme de niveau bac+2, orienté ou non vers le secteur ou les techniques de la communication.

EFAP communication. Le recrutement a lieu sur concours chaque mois jusqu'à la rentrée de septembre. Quatre épreuves permettent de tester les candidats : anglais, analyse de dépêche, dissertation et questionnaire de culture générale. La formation se déroule en deux ans selon le principe du premier cycle : les étudiants suivent des cours d'octobre à décembre, un stage de janvier à mars, des ateliers et des cours d'avril à juin, un stage pendant l'été, puis des cours du soir en septembre, un stage à plein temps d'octobre à mai, enfin en juin, ils passent leurs examens et soutiennent leur mémoire. Elle coûte 35 700 F par an.

L'Institut supérieur de la communication (ISCOM), implanté dans plusieurs villes universitaires (Lille, Lyon, Montpellier, Paris, Strasbourg) prépare au BTS communication des entreprises, à des spécialisations post-BTS en un an (notamment en relations publiques et presse) ou deux ans, deux masters homologués au niveau II, l'un intitulé master de communication globale, l'autre master de communication journalisme audiovisuelle et multimédia. Au cours de la première année, les étudiants suivent des enseignements communs, leur formation d'origine déterminant les options qui leur sont proposées. Les frais de scolarité vont de 31 500 F à 33 000 F par an.

L'Institut de la formation à l'accueil et à la communication (IFAC), au Centre de formation de la CCI de Valenciennes, propose une formation de chargé de communication entreprises et collectivités en deux ans. Le recrutement se fait sur dossier, tests de langues (deux langues obligatoires dont l'anglais), tests d'évaluation et culture générale. La première année comporte un stage de trois mois, tandis que la seconde s'effectue en alternance : une semaine en centre de formation, une semaine en entreprise puis trois mois en entreprise en fin de cursus. Le montant de la scolarité s'élève à 24 000 F la première année, et à 27 000 F pour la seconde année qu'il est possible de faire financer par l'entreprise.

L'Institut des stratégies et techniques de communication (ISTC), créé en 1991 et reconnu par l'État en 1995, dépend de l'Université catholique de Lille. Il forme en deux ans, à raison de trente-trois heures par semaine, des cadres de la communication externe ou interne. La formation comprend des stages dont la durée est de deux mois en première année et de six mois en seconde. L'ISTC recrute sur concours (QCM de culture générale, dissertation, épreuve d'anglais) et entretien de personnalité destiné à évaluer les dispositions à la communication. Les frais de scolarité s'élèvent à 26 200 F pour la première année et à 25 800 F pour la seconde.

Sciences com' à Nantes propose un deuxième cycle dans trois spécialités : conception et développement de projets/production, communication externe (image et notoriété de l'entreprise et de ses produits), communication interne (information et communication avec les salariés et les publics proches de l'entreprise). L'école recrute sur concours. Trois épreuves écrites départagent les candidats : synthèse ; essai ; culture générale. Les admissibles passent un entretien de motivation et un oral

...lais. Sur environ 250 candidats, 75 étudiants au maximum ...ont sélectionnés. Sciences com' est reconnue par l'État et ...néficie du parrainage de professionnels illustres. Les frais de scolarité s'élèvent à 27 200 F par an.

LES TROISIÈMES CYCLES

Parmi les écoles citées ci-dessus, plusieurs offrent des formations de troisième cycle accessibles après un diplôme de niveau bac+4.

Sur le modèle américain, l'European University de Paris propose un Master of management in communication. De même, l'Institut européen de management international (IEMI) prépare en cours du soir sur dix-huit mois un master en relations publiques et communication.

À l'IICP, un troisième cycle en communication globale s'effectue à mi-temps à l'école et en entreprise. L'ISERP propose un troisième cycle en relations publiques et communication d'entreprise avec deux options possibles : communication internationale et politique ; marketing. Sciences Com' propose également un troisième cycle en communication avec deux options : management des médias (production, programmation, diffusion) et management de la communication d'entreprise. Il est accessible, avec un diplôme de niveau bac+4 ou une expérience professionnelle de cinq ans, sur concours comportant quatre épreuves : une synthèse de dossier de presse, un essai, un test d'anglais (facultatif pour les professionnels) et un entretien.

Enfin, l'ISCOM prépare à deux troisièmes cycles après ses masters : l'un est intitulé marketing et communication ; l'autre marketing international et communication globale, formation construite en partenariat avec Northampton University intégrant un séjour près de Londres sur le campus, suivi d'un stage en entreprise.

LES FILIÈRES UNIVERSITAIRES

De Paris à Marseille, de Rennes à Grenoble, de Montpellier à Metz en passant par Clermont-Ferrand ou Tours, les universités françaises vous offrent une palette extraordinairement variée de formations à la communication. Elles vous proposent tous les niveaux : des diplômes d'études universitaires générales (DEUG), des licences, des maîtrises, des maîtrises de sciences et techniques (MST), des diplômes d'ingénieur-maître au sein des instituts universitaires professionnalisés (IUP), des diplômes d'études supérieures spécialisées (DESS), des diplômes d'études approfondies (DEA). Parfois, il vous faudra jongler d'une université à l'autre pour construire votre cursus idéal. À noter cependant que l'université Paris 13 propose un bel échantillon de formations à la communication, du premier au troisième cycle : DEUG, licence-maîtrise, IUP, DEA.

L'université a-t-elle vocation à former des supertechniciens aux compétences répondant aux besoins des entreprises ou plutôt à donner aux étudiants une solide culture générale qui leur permettra de s'adapter à toutes les évolutions du monde professionnel ? Le débat n'a pas fini de faire couler de l'encre. En attendant et à l'heure actuelle, deux filières coexistent donc au sein de l'université. L'une, théorique et généraliste (licence, maîtrise, DEA), conduit principalement à l'enseignement et à la recherche. L'autre, plus professionnalisée (MST, IUP, DESS), prépare aux métiers de la communication.

LA FILIÈRE CLASSIQUE

La lente agonie des DEUG culture et communication s'est achevée à la rentrée 1996. Devant les maigres débouchés proposés par ce diplôme, le ministère de l'Éducation nationale s'était en effet interrogé sur l'opportunité d'une formation à la communication à l'université dès le premier cycle.

▬▬ Une mention médiation culturelle et communication en DEUG

Le DEUG culture et communication est donc remplacé par une mention médiation culturelle et communication insérée soit dans le DEUG arts (à Metz, Montpellier 3, Nice, Paris 1, Paris 3), soit dans le DEUG lettres et langues (à Avignon, FUPL – aussi appelée Université catholique de Lille –, Lille 3, Littoral, Montpellier 3, Nancy 2, Nice, Paris 4, Paris 8, Paris 13, Université catholique de l'Ouest et Lyon 2), ce qui devrait élargir les possibilités d'orientation des étudiants. La mention donne ainsi accès aux licences artistiques, littéraires et d'information-communication. Il est encore un peu tôt pour porter un jugement sur ce DEUG : la présence ou non d'étudiants diplômés dans les licences et maîtrises d'information-communication permettra de mesurer son succès. Le précédent DEUG n'offrait en effet pas davantage de possibilités d'accéder à cette licence que n'importe quel autre DEUG.

▬▬ La licence et la maîtrise d'information et communication

Comment se situent, dans le vaste panorama des formations à la communication, les licences et maîtrises info-com ? L'objectif est généralement de former, à l'issue de deux années d'études et de stages, des généralistes de l'information et de la communication capables d'appréhender, de comprendre et de maîtriser les problèmes d'information et de communication interne ou externe qui se posent au sein d'une organisation, puis de concevoir et de mettre en œuvre une politique de communication globale et/ou de transfert d'information.

Formations universitaires généralistes, elles proposent parfois des options qui leur donnent une coloration particulière : par

LA MENTION MÉDIATION CULTURELLE ET COMMUNICATION

La mention médiation culturelle et communication comporte une quinzaine d'heures de cours hebdomadaires, dont le tiers est constitué de cours magistraux, le reste se répartissant entre travaux dirigés (TD), travaux pratiques (TP), dossiers, projets, recherches…

Les enseignements portent sur la théorie des médias et la médiation culturelle, la théorie de l'information et de la communication, la sémiotique. Les étudiants doivent en outre choisir quatre thèmes parmi les suivants : documentation ; économie de la communication ; théorie de l'information et de la communication ; analyse des messages iconiques et sonores ; analyse des mécanismes et des pratiques de la communication ; supports écrits de la communication ; médias, cultures, sociétés.

exemple, mention communication sociale à Bordeaux 3 ; option édition et multimédia à Nantes ; option communication et territoire à Paris 8 ; option communication politique et publique à Paris 12. En outre, elles ont introduit des professionnels dans le corps enseignant et des stages dans les cursus. Aix-Marseille 1 prévoit ainsi un mois de stage en licence et en maîtrise, et Bordeaux 3 quatre mois de stage en maîtrise.

Si vous n'envisagez pas de poursuivre vos études après l'obtention de votre diplôme (licence ou maîtrise), nous vous conseillons vivement de ne pas vous limiter aux stages obligatoires. Une immersion professionnelle pendant vos congés universitaires se révélerait très utile !

Les DEA

Plus d'une vingtaine de DEA sont proposés dans le domaine de la communication, dont quinze en sciences de l'information et de la communication : Bordeaux 3, Grenoble 3, Lille 3, Lyon 2, Lyon 3, Metz, Montpellier, Perpignan, Nancy 2, Paris 3, Paris 4, Paris 10, Paris 13, Rennes 2, Valenciennes. Des DEA plus spécialisés existent également : communications, technologies et pouvoir à Paris 1 ; culture et communication dans le monde hispanique contemporain (ruptures et permanences) à Dijon et Reims ; enjeux sociaux et technologies de la communication à Paris 8 ; média et multimédia à Paris 2.

L'admission des titulaires d'une maîtrise ou d'un diplôme équivalent est soumise à l'examen du dossier, à la présentation du domaine de recherche et parfois du mémoire de maîtrise. Les diplômés se destinent généralement à la recherche et poursuivent leurs études par une thèse de doctorat. La formation ne comprend donc en principe aucun stage ni aucune préparation à l'insertion professionnelle.

LA FILIÈRE PROFESSIONNALISÉE

En premier cycle, il existe trois diplômes d'études universitaires scientifiques et techniques (DEUST) tourné vers le domaine de la communication : le DEUST communication audiovisuelle de l'université de Paris 10 et le DEUST métiers de la communication et de l'économie sociale, avec deux options : secteur public et associatif ; secteur marchand (accessible avec un bac+1 en formation permanente) à Amiens, ainsi que le DEUST technologie de l'information et de la communication et développement local de Limoges, ouvert en 1998. Muni d'un diplôme bac+1, vous pouvez aussi tenter l'entrée dans un institut universitaire professionnalisé (IUP), qui vous mènera au niveau bac+4.

Les IUP

Créés à la rentrée 1991, les IUP sont accessibles après une première année de DEUG. Ils proposent trois années d'études sanctionnées successivement par un DEUG, puis une licence et une maîtrise professionnelles et enfin, pour les meilleurs, par le titre d'ingénieur-maître. Une poursuite d'études est possible en troisième cycle : en DESS ou en diplôme de recherche technologique (DRT) ingénierie de la communication à Grenoble 3.

Les IUP recrutent sur concours. L'entrée en première année s'effectue souvent en trois étapes : examen du dossier (notes du bac, CV, lettre de motivation, attestation d'inscription dans le supérieur) à remettre en mai ; épreuves écrites en juin comprenant un test de langue française et de culture générale et deux tests de langue vivante, dont l'anglais obligatoire ; enfin, un entretien de motivation. Les titulaires d'un DEUG complet, d'un BTS ou d'un DUT peuvent passer l'examen d'entrée directe en deuxième année.

Les enseignements se veulent mixtes et dispensent aux étudiants une culture générale complétée par des enseignements professionnels et de nombreux stages. Près d'un quart des cours est consacré à l'apprentissage de deux langues. Il existe actuellement dix IUP en communication, en comptant le CELSA que nous présentons plus loin (page 132).

Avignon. L'université d'Avignon a ouvert à la rentrée 2000 un IUP métiers des arts et de la culture, spécialité culture et technologies offrant deux options : communication culturelle et technologies numériques ; développement de projets culturels. La capacité d'accueil est de 30 étudiants par option et la sélection se fait sur dossier, épreuve écrite et entretien avec un jury. Le premier semestre de cours est commun à tous les étudiants qui ne choisissent qu'ensuite et définitivement leur option. Il est possible d'effectuer un semestre dans une université européenne dans le cadre du programme Socrates. La formation prévoit quatre à huit semaines de stages entre la première et la deuxième année, seize à vingt semaines en fin de troisième année.

Bordeaux 3. L'IUP métiers de l'information et de la communication reçoit en moyenne 500 candidatures, dont près d'un quart pour l'entrée directe en deuxième année. Il sélectionne sur dossier, puis sur épreuves de culture générale, de langues et entretien de motivation, une cinquantaine d'étudiants pour la première année et une dizaine pour la deuxième année. En deuxième année, les étudiants choisissent entre quatre options : journalisme spécialisé, presse technique et professionnelle ; métiers de la production audiovisuelle ; communication des entreprises, des collectivités territoriales et des espaces urbains ; multimédia, conception et développement. Un stage est prévu chaque année : un mois en première année, trois en deuxième année et quatre en troisième année.

Grenoble 3. L'IUP information-communication accueille 45 candidats par an en première année. Les tests d'admission comportent généralement une épreuve de culture générale et un test de créativité (à partir d'un texte, d'une image…) pour la première année. Pour l'entrée directe en deuxième année, la sélection se fait sur dossier et entretien de motivation. Trois spécialités sont proposées : communication d'entreprise ; communication audiovisuelle (son, image) et multimédia ; journalisme. En dernière année, les étudiants font un stage « conduite de projet » pendant trois mois.

Lille 3. L'IUP information-communication a pris le parti de former des professionnels en communication des entreprises et des organisations. Près de 400 étudiants postulent l'entrée en première année (80 places). La formation aborde tous les domaines de la communication : publicité, relations publiques, médias, création d'événements, communication d'entreprise, collectivités, agences-conseils, secteur social et culturel, etc. L'IUP lillois prévoit six mois de stage (six semaines en première et deuxième années ; trois mois en maîtrise).

Lyon 3. Ce nouvel IUP métiers de l'information et de la communication recrute depuis la rentrée 2000 sur dossier et épreuve écrite, un QCM visant à évaluer le niveau de culture générale, de connaissance de l'actualité, d'anglais et de pré-requis techniques. Les deux premières années de l'IUP (correspondant à la deuxième année de DEUG et à la licence) sont généralistes : elles visent à donner aux étudiants la culture générale, les méthodes et les outils communs aux métiers de l'information et de la communication. Ce n'est qu'en maîtrise que des options permettent de se spécialiser dans un secteur plus précis : médias ; communication des organisations ; service d'information documentaire ; intelligence économique. Huit mois de stage sont obligatoires, deux en fin de première année, trois mois en fin de licence et de maîtrise.

Metz et Nancy 2. L'IUP métiers de l'information et de la communication est géré conjointement par les deux universités lorraines. La première année a lieu sur les deux sites, la deuxième dans l'un ou l'autre. La troisième année est fixe : l'option communication d'entreprise se déroule à Nancy, l'option multimédia à Metz. La formation prévoit de nombreux stages (cinq mois en deuxième année et onze semaines en troisième année) et environ quarante heures sont consacrées à l'insertion professionnelle. Le profil requis à l'entrée est d'abord celui des étudiants issus du DEUG médiation culturelle et communication de Metz et de Nancy. Mais le recrutement est également ouvert aux étudiants issus d'autres universités ou filières ayant cependant suivi des enseignements de communication. L'admission se déroule en deux étapes : épreuve écrite d'admissibilité et oral d'admission.

Paris 13. L'IUP métiers de l'information et de la communication sélectionne sur examen (culture générale, deux langues, entretien), parmi 400 candidats, une trentaine d'étudiants qu'il destine aux agences de communication et aux services de communication des entreprises. Ils consacreront un tiers de leur temps en deuxième année, puis la moitié en troisième année à l'une des quatre options proposées : communication d'entreprise ; commercialisation des produits d'édition ; management sociotechnique des technologies, communication organisationnelle. La formation prévoit en tout neuf mois de stage.

Rennes 2. L'IUP métiers de l'information et de la communication accueille 40 étudiants en première année après une sélection sur dossier, une épreuve de culture générale et un entretien. Les profils admis sont généralement issus des filières de lettres, d'histoire, de sociologie, d'AES et de BTS. En troisième année d'IUP, les étudiants peuvent choisir une spécialisation parmi quatre options proposées : communication stratégique des entreprises et des collectivités territoriales ; politiques audiovisuelles (conception, élaboration, distribution de produits audiovisuels liés à la formation) ; écritures spécialisées, organisations de presse et d'édition (conception de systèmes rédactionnels dans le domaine de l'écriture électronique et de la création graphique) ; nouvelles technologies de l'information et de la communication, veille informationnelle et système d'information multimédia. Chaque année d'études s'achève par un stage de deux mois.

▨▨▨ Les MST

Accessibles à des titulaires de diplômes bac+2, les maîtrises de sciences et techniques sont délivrées au terme de deux années d'études à la fois universitaires (cours théoriques et mémoire de maîtrise), techniques (langues, PAO, vidéo ou multimédia…) et professionnelles (études de cas, projets, stages). Les modalités d'admission varient d'une MST à l'autre et d'une année sur l'autre. Les épreuves que nous vous présentons pour chaque MST peuvent donc être sensiblement modifiées pour la rentrée prochaine. À la rentrée 2000-2001, sept MST préparaient aux métiers de la communication.

Clermont-Ferrand 2. La MST communication des entreprises et des collectivités forme des généralistes de la communication à la fois créatifs et gestionnaires, maîtrisant tout autant la communication interne qu'externe. Elle reçoit entre 130 et 140 candidatures qu'elle sélectionne sur dossier (lettre de motivation ; analyse d'un document visuel…), test oral et écrit de culture générale et QCM d'anglais, puis entretien de motivation. Elle retient 62 étudiants, titulaires d'un DEUG, DUT, BTS ou de diplômes équivalents. Selon leurs résultats ou leur formation d'origine, les admis sont invités à suivre une session de mise à niveau en anglais, informatique, droit ou encore économie, pendant trois semaines en septembre. L'enseignement met l'accent sur la communication internationale (langues étrangères, possibilité de suivre des stages à l'étranger). Pendant toute la première année, chaque étudiant est parrainé par une entreprise. En première année, il est prévu un stage de cinq semaines ; en seconde année, la durée du stage est de deux mois.

Limoges et Metz. La MST chef de projet en technologie de l'information et de la communication a été ouverte en 1998. De conception novatrice, 90 % de ses enseignements se déroulent via Internet. Cette formation est essentiellement basée sur l'échange et l'autoformation. Son objectif est l'acquisition d'une culture de réseau et l'apprentissage réel de la conduite de projet. La culture technologique, le transfert de compétences professionnelles et les travaux professionnels en vue de l'appropriation des outils sont autant de domaines abordés à côté de l'économie, de la gestion, etc. 80 élèves parmi les 100 candidats sont sélectionnés sur lettre de motivation et dossier de candidature.

Lille 1. La MST mercatique et communication oriente les étudiants vers des fonctions de communication à forte connotation publicitaire ou commerciale. Elle a reçu plus de 500 candidats pour la seule année 2000. Des épreuves écrites éliminent la moitié des candidats : une épreuve de compréhension de texte, puis sept QCM en économie, droit, anglais, informatique, mathématiques-statistiques, culture générale, logique. Une épreuve de créativité sur table, d'une durée de trente minutes, est ensuite soumise à tous les candidats. Les candidats admis à l'oral passent un entretien de culture générale devant un jury. 48 étudiants sont admis définitivement. Les candidats qui échouent à l'oral reçoivent une attestation de réussite aux études de mercatique et communication qui leur permet, s'ils souhaitent tenter à nouveau leur chance l'année suivante, d'échapper aux épreuves écrites. La formation comprend, en première année un jour par semaine, au minimum, en entreprise et une immersion de mai à mi-septembre ainsi que deux mois de stage en entreprise ou en agence, puis en deuxième année trois mois de stage, au minimum. Il est possible de passer un semestre à l'étranger dans le cadre du programme européen Socrates.

Paris 8. La MST information et communication, mention hyperdocuments multimédias, s'adresse à des créateurs attirés par l'outil informatique. Ils se destinent à travailler par exemple à la conception de CD-ROM, de logiciels éducatifs, de sites Internet. 25 étudiants d'origines et de sensibilités très diverses sont sélectionnés sur entretien parmi une centaine de candidats. La première année s'achève par un mois de stage pendant lequel l'étudiant choisit un projet dont il assurera la conception et la réalisation en deuxième année. Cent cinquante heures en atelier sont consacrées à ce produit qui doit associer le son, l'image et le texte dans des domaines liés à l'édition, l'informatique scientifique et technique, la publicité, la culture, la formation…

Poitiers. La MST information et communication d'entreprise forme de futurs professionnels de la communication externe et interne des entreprises, et leur offre la possibilité d'acquérir une compétence technique audiovisuelle (l'enseignement comprend de nombreux modules techniques). Elle reçoit plus de 300 candidatures par an et en retient environ 40. La sélection comporte deux épreuves écrites d'admissibilité (dissertation sur les sciences de l'information et de la communication ; dissertation sur l'entreprise et son environnement économique et juridique), puis un entretien de culture générale et de motivation. Un certificat préparatoire de mise à niveau a lieu les deux dernières semaines de septembre. L'enseignement comprend deux stages de deux mois à la fin de chaque année.

Saint-Étienne. La MST presse et communication dans l'entreprise forme des généralistes de la communication avec une compétence en audiovisuel, informatique et télématique. Une centaine de dossiers de candidature sont déposés chaque année ;

60 candidats sont admis à un certificat préparatoire. Dans un premier temps, les candidats assistent à des cours (expression française, anglais, théories de la communication, économie et entreprise, informatique), puis ils se soumettent à un entretien portant sur chacun des enseignements. 25 étudiants seront finalement admis en MST parmi lesquels on trouve une majorité de titulaires de DUT et BTS spécialisés en communication. Un stage d'un mois au minimum est prévu en fin de première année et un autre de deux mois en cours de deuxième année.

▬▬ Les DESS

Complément d'une bonne culture générale, le diplôme d'études supérieures spécialisées (DESS) offre une formation professionnelle qui doit permettre aux étudiants d'aborder directement les différents métiers de la communication. Il existe en France une quarantaine de DESS formant aux métiers de la communication. Certains sont généralistes (avec options) mais nombre d'entre eux proposent d'emblée des spécialisations : management du changement et de la communication à Aix-Marseille ; stratégies de communication internationale ou le DESS euromédias, diplôme multinational à Dijon ; communication et jeunesse à Bordeaux 3 ; marketing et communication des entreprises à Paris 2, etc.

Le DESS constitue la dernière touche de votre formation et vous permet de faire vos premiers pas dans le monde du travail. Vous devez donc le choisir en tenant compte du profil que vous avez acquis avec vos quatre premières années d'études et de vos objectifs professionnels. Si vous rêvez de travailler dans un domaine particulier, vous avez intérêt à choisir un DESS spécialisé et surtout de suivre un stage dans ce secteur (communication scientifique et technique, relations publiques de l'environnement, nouvelles technologies…). Si vous avez un profil généraliste (Sciences po, école de commerce) et visez des postes de direction dans la communication, un DESS obtenu au CELSA, par exemple, viendra utilement compléter votre formation.

DES DU DE TROISIÈME CYCLE

Les diplômes d'université ne sont pas reconnus au niveau national, mais permettent de se spécialiser en un an dans un domaine assez pointu. Les universités proposent quelques DU de troisième cycle, accessibles avec un diplôme de niveau bac+4.

C'est par exemple le cas du DU management, marketing et communication de la performance et du sport à Lille 2 ; du DU techniques de communication appliquées à la gestion du patrimoine à Lyon 3 ; du DU du centre européen universitaire de Nancy, le master en relations publiques européennes (MARPE) ; du DU communication dans les structures hospitalières, préparé à la faculté de médecine de l'hôpital Necker à Paris.

L'accès au DESS est ouvert aux titulaires d'une maîtrise ou d'un diplôme équivalent qui passent avec succès les épreuves de sélection écrites et orales. La finalité professionnelle se traduit par des stages obligatoires d'une durée variable selon les universités. Vous trouverez la liste des DESS communication dans le « Carnet d'adresses » situé en fin d'ouvrage.

LE CELSA

Excellent taux de notoriété auprès des agences et des entreprises, le CELSA, dit aussi École des hautes études en sciences de l'information et de la communication, reste une référence universitaire en matière de formation à la communication. Rattaché à l'université Paris 4-Sorbonne, le CESLSA est installé à Neuilly-sur-Seine (77, rue de Villiers, 92523 Neuilly-sur-Seine cedex, tél. 01.46.43.76.76. Minitel 36.16 CELSA. Sur Internet : www.celsa.fr).

▬▬ Culture générale et professionnelle

L'option est claire : mêler enseignement théorique et applications concrètes. Le corps enseignant, composé à 93 % de professionnels, témoigne de cette volonté : 32 % exercent dans des entreprises, 43 % dans des agences, 10 % dans la presse, 8 % dans des organisations syndicales. Les stages sont obligatoires : huit semaines sont prévues en deuxième année de DEUG, deux mois (en province ou à l'étranger) sont inscrits au programme de la licence, trois mois au programme de la maîtrise puis du DESS.

Le CELSA propose un large éventail de formations et de diplômes nationaux : DEUG lettres et langues mention médiation culturelle et communication, licence et maîtrise d'information et de communication obtenues dans le cadre d'un IUP, magistère de communication préparé en trois ans après un bac+2, DESS en techniques de l'information et de la communication, DEA…

▬▬ L'entrée au niveau bac+1

Pour intégrer l'IUP du CELSA, il faut posséder une première année d'études supérieures validée dans un établissement public et être âgé de 22 ans au plus le 31 décembre de l'année en cours. L'accès à cette deuxième année du DEUG lettres et langues, mention médiation culturelle et communication, passe par la réussite à un concours.

▬▬ L'entrée au niveau bac+2

Titulaire d'un DEUG ou d'un diplôme bac+2 obtenu au CELSA ou ailleurs, vous pouvez prétendre à l'entrée en licence info-com (option communication sociale et commerciale ou journalisme) ou en magistère communication.

Les enseignements de la licence (option communication sociale et commerciale – CSC) privilégient la formation générale (théories et pratiques de la communication, connaissance des outils de gestion et de l'organisation de l'entreprise), tandis que ceux de la maîtrise prennent une coloration plus professionnelle et préparent les étudiants aux fonctions d'encadrement en gestion des ressources humaines et communication interne ; communication institutionnelle ; marketing et communications de marques. Le magistère de communication, diplôme universitaire de niveau bac+5, cumule ces deux objectifs (approfondissement des connaissances théoriques et professionnalisation) et une initiation à la recherche qui doit permettre aux étudiants de mieux appréhender les organisations dans leur environnement et les préparer à la conception, la réalisation et l'évaluation des messages traduisant leurs stratégies de communication. Pour la dernière année, en DESS, cinq options sont proposées.

Le processus d'admission en licence CSC et en magistère se déroule en deux temps. Fin juin, des épreuves d'admissibilité (analyse de dossier pour l'entrée en licence, dissertation pour le magistère, puis deux épreuves communes : questionnaire portant sur l'histoire économique et sociale du XXe siècle, anglais écrit) sélectionnent les candidats admis à se présenter à l'entretien de motivation. Les titulaires d'un DEUG du CELSA représentent 32 % des admis en licence CSC et 45 % des admis en magistère.

Les troisièmes cycles du CELSA

Le CELSA propose aux titulaires d'un diplôme bac+4 deux troisièmes cycles : un DEA menant à des études doctorales (thèse en trois ans) et un DESS qui prépare directement à la vie professionnelle.

L'accès au DEA sciences de l'information et de la communication est conditionné par le dépôt d'un projet de recherche, puis par l'appréciation d'une commission qui juge de l'intérêt scientifique du sujet de recherche choisi. Le DEA comporte deux options : médias, communication et langages ; institutions, communication et médiations.

SCHÉMA DES ÉTUDES AU CELSA

L'accès au CELSA se fait désormais sur concours après une première année d'études supérieures réussie dans l'enseignement
public. Le CELSA poursuit l'intégration de sa formation dans
une structure d'institut universitaire professionnalisé (IUP).

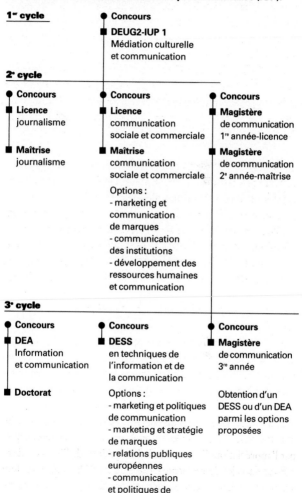

1er cycle

● Concours
■ DEUG2-IUP 1
Médiation culturelle
et communication

2e cycle

● Concours
■ Licence
journalisme

■ Maîtrise
journalisme

● Concours
■ Licence
communication
sociale et commerciale

■ Maîtrise
communication
sociale et commerciale

Options :
- marketing et
communication
de marques
- communication
des institutions
- développement des
ressources humaines
et communication

● Concours
■ Magistère
de communication
1re année-licence

■ Magistère
de communication
2e année-maîtrise

3e cycle

● Concours
■ DEA
Information
et communication

■ Doctorat

● Concours
■ DESS
en techniques de
l'information et de
la communication

Options :
- marketing et politiques
de communication
- marketing et stratégie
de marques
- relations publiques
européennes
- communication
et politiques de
développement

● Concours
■ Magistère
de communication
3re année

Obtention d'un
DESS ou d'un DEA
parmi les options
proposées

CELSA : LES ÉPREUVES DES CONCOURS

Voici les épreuves écrites d'admissibilité des concours pour l'entrée en seconde année de DEUG et pour les deux options de la licence de l'information et de la communication au CELSA. Après cette première sélection, les candidats passent devant une commission d'admission qui juge leur motivation, leur orientation et leurs aptitudes. Pour aider les candidats à préparer les concours, le CELSA fournit des bibliographies.

L'entrée en deuxième année de DEUG. Les candidats sont d'abord sélectionnés sur une dissertation de culture générale (durée : quatre heures), puis les admissibles se présentent devant une commission d'admission.

L'entrée en licence de l'information et de la communication. Pour l'option communication sociale et commerciale sont prévues trois épreuves d'admissibilité : une analyse de dossier d'une cinquantaine de pages (par exemple, pour l'année 1999-2000, il fallait répondre à deux questions sur la violence urbaine et l'insécurité en se servant du dossier) ; un questionnaire présentant une série de quatre à six questions (exemple : « Avantages et inconvénients de l'inflation "zéro" ») ; une épreuve d'anglais comportant un test de grammaire et de vocabulaire et une rédaction.

Le DESS techniques de l'information et de la communication propose cinq spécialités : gestion des ressources humaines et communication sociale ; marketing et politiques de communication ; relations publiques européennes ; communication et politiques de développement territorial, marketing et stratégie des marques. La sélection des candidats s'appuie sur une épreuve d'admissibilité organisée en mai (questionnaire professionnel correspondant à l'option choisie et une analyse de dossier), puis, à la fin du mois de juin, sur un entretien pour les candidats admissibles. Pour l'option relations publiques européennes, le questionnaire comme l'entretien se déroulent en anglais.

LA COMMUNICATION EN FIN DE PARCOURS

Si les profils 100 % communication n'ont pas encore convaincu les grandes entreprises et agences de communication et/ou de publicité, leur place ne cesse d'augmenter. Mais elles préfèrent encore des diplômés d'école de commerce et de gestion ou d'un institut d'études politiques (IEP, dit aussi Sciences po), qui ne se sont spécialisés en communication qu'au niveau d'un troisième cycle universitaire ou privé (voir les chapitres précédents) ou d'un mastère en école de commerce.

SCIENCES PO

C'est la formation de base pour ceux qui pensent que la communication est d'abord une affaire de bon sens et de culture générale. Sciences po reste le garant d'une formation pluridisciplinaire permettant aux futurs stratèges de la communication d'aborder tous les aspects politiques, économiques, sociologiques des problèmes qui se poseront à eux. L'idéal consiste cependant à compléter cette formation par un troisième cycle, un DESS en communication, au CELSA par exemple.

L'IEP de Paris, situé rue Saint-Guillaume, est le plus connu, mais il existe également huit IEP en province : Aix-en-Provence, Bordeaux, Grenoble, Lille, Lyon, Rennes, Strasbourg et Toulouse. Jusqu'à la rentrée 2000 tous fonctionnaient sur le même principe : trois ans d'études après le bac avec une première année très générale (histoire, géographie humaine et économique du monde actuel, institutions politiques et analyse économique, une langue étrangère), puis deux années plus spécialisées. Ce modèle n'a pas encore été modifié pour les IEP de Bordeaux et de Lyon qui devraient être réformés pour la rentrée 2001. En attendant, ils proposent une quatrième optionnelle à

OÙ SONT LES IEP ?

Des neuf instituts d'études politiques, seul celui de Paris est un établissement public autonome ; les autres sont tous rattachés à une université.

• IEP d'Aix-en-Provence, 25, rue Gaston-de-Saporta, 13625 Aix-en-Provence cedex, tél. 04.42.17.01.60.
Sur le Net : www.iep.aix.fr

• IEP de Bordeaux, 4, allée Ausone, BP 101, 33405 Talence cedex, tél. 05.56.84.42.52.
Sur le Net : www.iep.u-bordeaux.fr

• IEP de Grenoble, domaine universitaire, 1030, avenue Centrale, BP 45, 38402 Saint-Martin-d'Hères, tél. 04.76.82.60.00.
Sur le Net : www.sciences-po.upmf-grenoble.fr

• IEP de Lille, 84, rue de Trévise, 59000 Lille, tél. 03.20.90.48.40.
Sur le Net : iep.univ-lille2.fr

• IEP de Lyon, 14, avenue Berthelot, 69365 Lyon cedex 07, tél. 04.37.28.38.00.
Sur le Net : iep.univ-lyon2.fr

• IEP de Paris, 27, rue Saint-Guillaume, 75337 Paris cedex 07, tél. 01.45.49.50.50.
Sur le Net : sciences-po.fr

• IEP de Rennes, 104, boulevard de la Duchesse-Anne, 35700 Rennes, tél. 02.99.84.39.39.
Sur le Net : www.rennes.iep.fr

• IEP de Strasbourg, 47, avenue de la Forêt-Noire, 67082 Strasbourg cedex, tél. 03.61.11.77.33.
Sur le Net : iep.u-strasbg.fr

• IEP de Toulouse, 2 *ter*, rue des Puits-Creusés, 31000 Toulouse, tél. 05.61.11.02.60.
Sur le Net : www.univ-tlse1.fr/iep/

l'étranger. Pour les autres IEP, les études ont été portées à quatre ans dont un semestre ou une année à l'étranger. Une formule qui facilitera grandement la poursuite d'études en DESS, un complément devenu indispensable aujourd'hui. L'IEP de Paris impose désormais une scolarité en cinq ans avec un premier cycle de trois ans dont la dernière année se déroule à l'étranger.

Le principe d'une spécialisation à partir du deuxième cycle demeure, même si les IEP ont vocation à former des généralistes : section service public ; économique et financière ; politique et sociale ; Europe et relations internationales. Ces intitulés varient cependant d'un IEP à l'autre et peuvent proposer des options. Ainsi, les futurs professionnels de la communication choisiront en général la section politique et sociale et plus spécialement à Aix en Provence l'option information et communication ; l'IEP de Lyon propose une section politique et communication et celui de Toulouse, une section information et communication. À Paris, c'est la section entreprises qui préparera le mieux à la communication.

▬▬▬ L'entrée à Sciences po

Il existe deux possibilités d'accès à Sciences po : l'admission en première année pour les bacheliers et l'admission en deuxième cycle pour les diplômés d'un bac+2 ou bac+3 (à Paris).

L'accès direct après le bac restant assez marginal, en particulier à Paris, les étudiants abordent souvent Sciences po après une année d'études. Sur les 270 admis (sur 2 472 candidats) à l'examen d'entrée en première année de l'IEP de Paris en 1999, 20 % étaient bacheliers de l'année, tandis que 80 % avaient eu leur bac en 1998.

Dans les neuf IEP, l'examen d'entrée est de rigueur. Les titulaires d'un bac mention « très bien » peuvent en être dispensés après examen du dossier. Ainsi en 1999 à l'IEP de Paris, 90 bacheliers mention « très bien » ont été admis sans examen sur les 395 qui avaient déposé un dossier. Pour les autres, des épreuves écrites (qui ont lieu souvent début septembre – après un été studieux !) sont incontournables. Votre culture générale, votre esprit d'analyse et de synthèse, vos connaissances en histoire et géographie, votre maîtrise des langues feront souvent la différence.

Pour augmenter vos chances de réussite, vous pouvez passer par une préparation. Plusieurs formules s'offrent à vous. Vous pouvez passer par une classe prépa littéraire lettres supérieures (ou hypokhâgne) option sciences politiques. Une soixantaine de lycées disposent d'une telle classe où, en sus du programme de prépa au concours de Normale sup, vous recevrez un enseignement complémentaire en histoire-géographie, français, langues… Vous pouvez aussi suivre une préparation privée, en cours du soir (parallèlement à une formation universitaire) ou en stage intensif d'été.

LES ÉCOLES DE COMMERCE

Deux ans de préparation, un concours, trois ans de formation à raison de 30 000 F par an en moyenne : voici le régime de base du futur diplômé d'une école de commerce et de gestion. Une quarantaine d'écoles sont accessibles après une classe préparatoire commerciale (dite prépa HEC) ou, depuis 1995, après une classe prépa littéraire. Le contenu de l'enseignement correspond bien au profil de futurs directeurs de la communication, capables de réfléchir à la stratégie de l'entreprise.

Des formations complémentaires spécialisées

Une dizaine d'**écoles** de commerce proposent des troisièmes cycles en information communication. La plupart d'entre elles recrutent des étudiants titulaires d'un

ÉCOLES
Vous trouverez dans le carnet d'adresses les coordonnées de ces écoles.

diplôme de niveau bac+4 et forment en un an à des *Master of Management in Communication* (European University Toulouse ou Paris), master en nouvelles technologies de l'information et de la communication (École supérieure de commerce Wesford à Grenoble), des troisièmes cycles en stratégie management de la communication (ESC Lille), marketing, communication et ingénierie commerciale (ISC, Institut supérieur du commerce, à Paris), communication et publicité (École supérieure de management en alternance, à Marne-la-Vallée), etc.

Les titulaires d'un bac+5 peuvent préparer en un an des mastères : marketing et communication commerciale à l'ESC de Toulouse, NTIC management à l'école de management de Lyon, deux à l'ESCP-EAP, technologies de l'information, stratégie et organisation ; médias.

Les frais de scolarité pour ces troisièmes cycles vont de la quasi gratuité à Marne-la-Vallée (comptez malgré tout 3 750 F de frais d'inscription et 350 F de frais de sélection) à 89 000 F pour chacun des masters de l'European University à Toulouse et Paris. La plupart de ces diplômes reviennent cependant à 60 000 F.

POUR ALLER PLUS LOIN

À lire, dans la collection « les Guides de l'Etudiant » :
- *Réussir Sciences po*, Marie-Françoise Blain.
- *Bien choisir son école de commerce*, Philippe Mandry.
- *Les Métiers du marketing et de la publicité*, Murielle Wolski-Quéré.

PARTIE 4

COMMENT DÉBUTER?

Longtemps, la question « Comment débuter? » a laissé les professionnels de la communication perplexes. Ce qu'il y avait de typique chez eux, c'était justement leurs profils atypiques. Ils commençaient invariablement le récit de leurs débuts sur le ton navré de celui qui voudrait bien rendre service « Vous savez, mon parcours n'est pas du tout représentatif! » Leur vocation s'était souvent révélée et épanouie sur le terrain : pour eux, tout semblait mener à la communication à condition d'y être disposé.

Après la génération des pionniers qui a défriché le terrain, celle des années 80 qui a récolté les fruits et celle des années 90 qui a dû batailler dur pour trouver un job et le garder, les jeunes diplômés des années 2000 trouvent un contexte plutôt favorable… à condition d'arriver bien équipés sur le marché du travail. Car aujourd'hui, les carrières dans la communication ne doivent plus grand-chose au hasard, même si dans toutes les trajectoires, la chance et les rencontres restent déterminantes : une bonne formation, de la personnalité et de l'expérience acquise grâce aux stages sont indispensables.

S O M M A I R E

LE MARCHÉ DE L'EMPLOI

On assiste depuis 1995 à une reprise des embauches et l'évolution se fait encore plus nette depuis 1998. De 1999 à 2000, l'ANPE a ainsi constaté une hausse de 20 % d'offres d'emploi supplémentaires dans le secteur de la communication. Certains marchés ont explosé, comme la téléphonie ou les nouvelles technologies, qui ont beaucoup investi dans la communication. Ces chiffres ainsi qu'un retour à la croissance dans l'ensemble de l'économie française incitent à l'optimisme… même si les professionnels du secteur préfèrent toujours rester prudents et rappeler que dans ce secteur, l'équilibre est très fragile et les contrats précaires.

▬▬▬ Les spécialités qui ont la cote

Occurrence a réalisé pour l'Union des annonceurs (UDA) et le Syntec RP une étude sur « Entreprises et relations publiques », publiée en octobre 1999, qui examine notamment les relations entre les entreprises et les agences de relations publiques. À la question « Indiquez les trois domaines qui sont pour vous les plus importants », les entreprises dégagent 14 techniques importantes (voir ci-contre l'encadré « Les spécialités en hausse »). De son côté, l'association de directeurs de la communication Entreprises & Médias, souligne dans une étude publiée en mars 2000 sur les évolutions du métier de directeur de la communication que certains champs d'intervention sont devenus des préoccupations prioritaires.

La communication interne devient un outil privilégié d'accompagnement des mutations de l'entreprise : acquisition, fusions, cessions d'activité, réorganisations, internationalisation, extension de l'actionnariat salarié.

Le multimédia gagne en importance avec le développement des sites Internet et Intranet.

LES SPÉCIALITÉS EN HAUSSE

Selon l'enquête réalisée par Occurrence pour l'UDA et Syntec RP, les entreprises citent 14 domaines importants en relations publiques. Le tableau ci-dessous indique, par domaine, le taux de citation pour chacun d'eux. Les spécialités qui progressent, selon l'association Entreprises & Médias, sont mentionnées dans un bandeau noir.

Domaine	Taux
Communication marques et produits	70 %
Communication institutionnelle	60 %
Relations avec les médias (relations presse)	53 %
Communication interne	33 %
Conseil stratégique	21 %
Communication financière	15 %
Coordination de programmes internationaux	9 %
Communication de crise	7 %
Communication locale (ex : site de production)	7 %
Lobbying envers les pouvoirs publics	6 %
Communication environnement	5 %
Mécénat/sponsoring	4 %
Lobbying autres (groupes de pression)	4 %
Études et audit de communication	3 %

La communication financière se développe avec l'internationalisation des entreprises et des marchés financiers. La confiance des actionnaires est déterminante pour la prospérité de l'entreprise : mal communiquer sur ses résultats peut être immédiatement sanctionné en bourse et faire tanguer l'entreprise.

La communication internationale et la gestion coordonnée de la marque dans un contexte international sont également considérées comme des objectifs très importants.

▬▬ Où se cachent les emplois ?

À quelle porte frapper ? Si vous avez une vraie passion pour un domaine, et au-delà de toute estimation de l'état du marché de l'emploi, frappez d'abord à cette porte-là. On vous la ferme ? Restez poli, mais accrochez-vous. Passez par la fenêtre ou la cheminée, peu importe, vous n'avez rien à perdre ! Votre détermination finira toujours par séduire ! Dans le cas contraire, où vous orienter ? Il n'existe pas de recettes miracles. Nous pouvons juste vous indiquer quelques grands principes.

Dans les grandes entreprises les recrutements ont repris. Mais la tendance reste toujours à conserver une équipe de taille modeste en interne (la taille médiane d'une direction de la communication correspond à 19 personnes) pour assumer les fonctions stratégiques et à sous-traiter la création d'outils (édition, audiovisuel, etc.). Les exigences en matière de recrutement sont donc élevées. Les directions de la communication recrutent des cadres de toutes nationalités avec une formation supérieure, de préférence des généralistes capables de s'adapter à toutes les situations, de participer et de diriger des équipes projet ; des collaborateurs qui ont une bonne plume, des connaissances en économie, finance et marketing, une maîtrise courante de l'anglais et des outils de bureautique. Le must en matière de formation : sciences po + le CELSA ou une école de commerce.

Les PME, que l'air du temps aime à qualifier de « gisements d'emplois », résistent encore aux sirènes de la communication. « Les PME ressentent le besoin de communiquer, résume-t-on au Crédit d'équipement des PME (CEPME), mais elles n'en ont pas les moyens. Elles ont surtout des besoins en communication interne et recherchent des produits concrets et des structures qui ne soient pas des usines à gaz ! » Lorsqu'elles veulent communiquer, elles font souvent appel à des agences.

Dans le secteur public, l'administration se recentre sur ses propres ressources avant de faire appel à des contractuels.

Dans les collectivités locales, la professionnalisation de la communication se poursuit avec des recrutements qui, loin d'être massifs, sont réguliers. En outre, même si elle se professionnalise, la communication des collectivités locales reste un domaine politiquement sensible et le *turn-over* des équipes est très lié aux humeurs de l'électorat. À chaque échéance électorale, le malheur des uns fera nécessairement le bonheur de ceux qui les remplaceront !

Les agences connaissent, selon l'étude annuelle du Syntec RP, une croissance des honoraires facturés supérieure à 10 % par an depuis 1996. Elle a augmenté de 17 % entre 1999 et 1998. Cette tendance devrait se confirmer en 2000. Les effectifs des agences de relations publiques évoluent en parallèle. Selon Jean-Pierre Beaudoin, directeur général du groupe I & E, l'**emploi** augmente à un rythme de cinq points, rythme inférieur à celui du montant des honoraires facturés. La croissance soutenue depuis plusieurs années entraîne un début de tension sur le marché de l'emploi. Le temps d'attente d'un premier emploi des jeunes diplômés des filières spécialisées de l'enseignement

EMPLOI
Quand les honoraires croissent de 15 %, l'effectif augmente de 10 %.

supérieur s'est notablement réduit. Comme les grandes entreprises, les agences ont aussi élevé leurs critères de recrutement et apprécient en particulier les doubles cursus : communication et écoles de commerce, communication et sciences politiques, communication et spécialité scientifique ou technique. La demande est depuis 1999 particulièrement forte dans le domaine des relations publiques pour les technologies de pointe. Cette demande conjoncturelle due à l'explosion des entreprises liées à Internet et aux technologies de l'information (informatique et télécommunications) devrait se normaliser progressivement. La surenchère à laquelle se livrent entreprises et agences à l'heure actuelle pourrait donc ne pas durer.

SONDEZ VOS MOTIVATIONS

Etes-vous fait pour la communication ? C'est la première question à vous poser ! Qu'est-ce qui vous attire ? Quel professionnel souhaitez-vous devenir ? Vous l'avez sans doute compris à la lecture des témoignages de ce guide : la communication propose des métiers passionnants mais difficiles. Les professionnels s'emploient à briser le miroir aux alouettes. Si la réalité de leurs activités vous exalte encore et si vous savez le leur prouver, ils finiront toujours par vous faire une petite place… qu'il vous appartiendra d'étendre.

Votre mission, avant de vous lancer : vous armer le mieux possible. Si de nombreux attachés de presse, passionnés – et donc très cultivés dans leur domaine – accordent peu d'importance à la formation, celle-ci reste cependant un élément déterminant dans d'autres disciplines. L'essentiel consiste à suivre la formation la mieux adaptée à vos ambitions. Si vous rêvez par exemple de donner des conseils stratégiques à de grandes entreprises, un bac+2 ou une formation d'attaché de presse ne vous suffira pas.

Pour atteindre cet objectif, dans l'entreprise comme en agence, il vaut mieux, dès le départ, acquérir une excellente culture générale (en passant par une école de commerce ou Sciences po), complétée par un troisième cycle spécialisé en communication. Votre détermination et votre talent sur le terrain feront ensuite la différence.

Aussi importante que votre formation, votre personnalité. La communication requiert, à quelque niveau que ce soit, des qualités particulières. Si certaines viennent à vous manquer, vous courez deux risques. Vos recruteurs potentiels (rencontrés au cours d'un stage par exemple) s'en aperçoivent immédiatement

20 QUALITÉS POUR BIEN COMMUNIQUER !

Testez-vous : cochez en toute honnêteté les qualités que vous pensez posséder parmi celles présentées ci-dessous et repérez celles qui vous manquent. Si vous désirez vraiment travailler dans la communication, vous ne manquerez pas de les acquérir.

❏ Une excellente expression écrite et orale
❏ Un esprit de synthèse
❏ La diplomatie
❏ Le sens du contact
❏ L'humilité
❏ La curiosité
❏ La rigueur
❏ La résistance au stress
❏ Le sens de l'organisation
❏ Le sens de l'urgence
❏ La débrouillardise
❏ La vivacité, la rapidité de réaction
❏ La capacité d'adaptation
❏ Une excellente culture générale
❏ La passion
❏ La volonté, la pugnacité
❏ La capacité d'écoute
❏ La bonne humeur
❏ La disponibilité
❏ L'intérêt pour la presse, les médias

et vous conseillent avec plus ou moins de précautions de changer d'orientation. Ou bien vous ne présentez pas de défauts rédhibitoires, vous faites illusion mais, après quelques années d'exercice, la lassitude vous gagnera et vous ne supporterez plus ni les clients ni les journalistes !

LES STAGES PLÉBISCITÉS

L'association Information Presse & Communication a réalisé en 1998 une enquête sur les professionnels des relations presse. 67 % des personnes interrogées étaient des femmes, 66 % avaient moins de 35 ans. Elles avaient été, pour nombre d'entre elles, recrutées par relation ou cooptation. 16 % avaient trouvé leur emploi grâce à un stage. Aujourd'hui, lorsqu'elles doivent à leur tour embaucher, elles plébiscitent les stages. 49 % recrutent les jeunes professionnels dont elles ont pu vérifier par elles-mêmes la compétence et le dynamisme, tandis que la relation personnelle (29 %) et le bouche à oreille (29 %) arrivent désormais assez loin derrière. Les critères d'évaluation d'un jeune diplômé portent sur sa personnalité (69 %) et sur son expérience (57 %)… acquise en stage, alors que la formation ne recueille que 30 % des suffrages de ces professionnels des relations publiques.

Si les grandes entreprises et agences accordent davantage d'importance aux études suivies, elles considèrent également indispensable d'acquérir une **expérience** par des stages. Elles repèrent dans ce vivier les futurs talents ou y puisent – pour les moins scrupuleuses – une main-d'œuvre bon marché et éternellement renouvelable. Car les stagiaires ne coûtent pas cher : environ 1 700 F en moyenne par mois selon la convention de stage, parfois rien du tout surtout dans le secteur public, rarement plus car les sommes versées au-delà du plancher prévu dans la convention sont assujetties aux charges de l'URSSAF.

> **EXPÉRIENCE**
> Dans l'esprit du recruteur, les stages et les CDD comptent à partir de six à douze mois.

L'utilisation abusive de stagiaires est néanmoins reconnue et condamnée par les responsables de formation et par la profession elle-même. Mais que faire ? « Le recours systématique aux stages est une attitude condamnable et non professionnelle », admet Jean-Pierre Beaudoin, directeur général de l'agence Information et Entreprise. « C'est absurde, confirme cet observateur, certaines agences fonctionnent toute l'année avec des stagiaires. Ce n'est pas viable. Les clients ont envie d'avoir des interlocuteurs solides ! »

Ces abus existent mais ne doivent pas vous décourager. Et vous aurez tout intérêt à multiplier les stages et en particulier ceux de longue durée. La plupart de vos jeunes aînés doivent ainsi aux stages sinon leur emploi actuel, du moins l'enrichissement de leur CV et de leur carnet d'adresses. Pour vous permettre d'en tirer le meilleur profit, ils vous livrent leurs conseils.

BIEN CHOISIR SON STAGE

Vous l'avez sans doute compris : vous aurez vraisemblablement peu de difficultés à vous faire recruter comme stagiaire. La plupart des écoles reçoivent plus de propositions de la part des entreprises ou des agences qu'elles ne peuvent en honorer. Le problème consiste donc à bien choisir son stage, première étape dans l'élaboration d'un CV valorisant.

Première question à vous poser (toujours la même !) : que voulez-vous faire dans la communication ? Quel secteur, quelle discipline vous attirent le plus ? Dans quel type de structure vous imaginez-vous : entreprise, agence, association, collectivité locale ? Vous n'en avez aucune idée ?

▬▬ Multipliez vos expériences

« Après une licence de lettres, je n'avais aucune idée sur mon avenir, se souvient Isabelle, 27 ans, aujourd'hui attachée de presse dans l'édition. Trois secteurs m'intéressaient : l'édition, l'audiovisuel, la mode. Je me suis donnée un an pour faire des

LE BON STAGIAIRE

Le matin, il arrive à l'heure, souriant. Il salue tout le monde et, si c'est une tradition, il propose à son tour d'apporter le thé ou le café ! Il travaille de façon autonome, mais n'hésite pas à demander conseil s'il rencontre une difficulté et accepte les remarques. Tous ses sens sont en éveil, il observe : comment convaincre un journaliste, calmer un client furieux, ménager les susceptibilités, négocier un prix, trouver une salle en vingt-quatre heures…

Le bon stagiaire est un rapide : il comprend vite ce qu'on lui dit et réagit au quart de tour. Il s'essaie à prendre quelques initiatives, mais veille à ce que ses collègues ne mettent pas ensuite deux jours à rattraper ses gaffes.

Quand il a terminé son travail, il ne reste pas les bras croisés. Il va au-devant d'une nouvelle mission en signalant sa disponibilité. Si l'urgence se situe derrière une tonne d'enveloppes à remplir et à déposer d'urgence à la poste, il n'a pas d'états d'âme et n'abandonne pas ses collègues à 18 heures précises parce qu'il a rendez-vous avec des copains.

Il ne trouve pas dégradant d'utiliser un traitement de texte, une photocopieuse ou un télécopieur : le soir où il se retrouvera seul avec son patron, sans secrétaire pour régler un problème de dernière minute, il sera heureux de pouvoir se débrouiller seul.

Il aime comprendre l'ensemble de la chaîne : comment se fabrique un document, comment fonctionne l'entreprise… Il s'intéresse à tout et à tous. Lorsqu'il part, il rend un bon travail. Son rapport de stage montre sa bonne compréhension et sa bonne insertion dans l'agence ou l'entreprise. On a de la peine à le voir partir. Ses collègues de quelques mois se souviendront de lui et le solliciteront dès que l'occasion se présentera. « Il était vraiment efficace et tellement sympathique ! »

stages et choisir. J'ai passé trois mois au service de presse de Jean-Charles de Castelbajac, puis quatre mois à celui de TF1. Enfin, j'ai passé trois mois chez Gallimard. Au bout d'une année, j'y voyais plus clair. J'avais fait une croix sur la mode et réalisé que c'était vraiment l'édition qui m'attirait. J'ai été lectrice pendant un an au comité de lecture de TF1 (scénarios, documentaires…) et je gardais le contact avec les personnes rencontrées pendant mes stages. Puis j'ai appris que l'attaché de presse des éditions François Bourin partait. Je me suis proposée et j'ai été embauchée. »

Si la communication vous passionne mais que vous ne savez pas où exercer, essayez d'effectuer des allers et retours entre l'agence et l'entreprise et de diversifier vos expériences (service de presse, communication financière, marketing direct, communication interne, etc.). Testez ainsi vos goûts et vos aptitudes.

Maîtrise de LEA anglais-allemand en poche, Stéphanie, 25 ans, entre au CELSA pour préparer un DESS de relations publiques européennes. « À l'école, lorsqu'il s'agissait de choisir les stages, ils insistaient vraiment pour qu'on cible ce qu'on voulait faire. Moi, j'avais déjà effectué un stage de communication financière dans une agence, et je m'étais rendue compte que ça ne m'intéressait pas du tout. Pendant mon DESS, j'ai donc fait un stage de six mois à Lancaster : la directrice des relations publiques, qui était enceinte, recherchait une stagiaire pour un gros lancement de produits à Londres. Ce stage m'a permis de beaucoup travailler sur l'événementiel, avec une dimension internationale qui m'a beaucoup plu. À la fin du stage, on m'a proposé un CDD de six mois, ce qui est une pratique courante pour une première embauche. Mon contrat a été renouvelé pour six autres mois et, à la fin de cette première année, j'ai été embauchée en CDI, passant donc d'assistante relations publiques à attachée de presse junior international. »

« Les recruteurs évoluent, constate Jacqueline Gendre du cabinet Gibory Consultant. Avant, ils cherchaient des profils très spécialisés. Maintenant, les expériences multiples sont appréciées car elles permettent aux jeunes de savoir plus vite ce qu'ils préfèrent. Le passage en agence reste très bien vu : on y est soumis à une grande pression, on y est réactif, souple, adaptable, organisé. »

Essayez aussi les petites structures où vous serez très polyvalent comme les plus grandes où vous travaillerez sur un domaine plus restreint : cela vous permettra de voir comment fonctionnent différents services, comment se situer dans une hiérarchie.

▬▬▬ Ne vous dispersez pas

En revanche, si vous avez déjà une idée précise du secteur dans lequel vous souhaitez travailler, diversifiez vos expériences dans ce milieu, mais évitez de vous disperser. Certains univers sont en effet plus difficiles que d'autres à pénétrer : l'édition, l'audiovisuel, la culture…

« On embauche tellement peu, constate Hélène de Sainte-Hypolite, attachée de presse chez Gallimard, que cela passe surtout par cooptation. Si on a besoin de quelqu'un, on va chercher la personne qu'on a remarquée. Toutes les assistantes qui travaillent ici ont d'abord été stagiaires. »

Cooptation, bouche à oreille, recommandations, ce sont les passeports de base de ces milieux fermés qui génèrent plus de rêves que d'emplois. Mais l'argent n'y coule pas à flots et les bonnes volontés sont donc souvent les bienvenues. Il vous faudra cependant parfois privilégier l'insertion dans le milieu avant de chercher les conditions idéales pour appliquer vos techniques de communication.

▬▬▬ Trouver un créneau

Profiter de ses stages pour acquérir une spécialité dans un domaine précis représente souvent un atout supplémentaire lors de la recherche d'emploi.

Ainsi, Bernard, 25 ans, a effectué plusieurs stages dans l'industrie, un secteur qui ne passionne pas toujours a priori les jeunes diplômés. « Après une première année de fac, en sciences économiques et sociales à Nantes, qui ne m'avait pas plu, se souvient-il, j'ai préparé un DUT techniques de commercialisation avant d'intégrer Sciences Com. J'y ai suivi une formation communication d'entreprise, car c'était vraiment ce qui m'intéressait, avec une spécialisation en communication interne et gestion du multimédia. J'ai effectué différents stages dans l'industrie, à Usinor, comme consultant en communication interne, et à Arthur Bonnet, dans la communication externe. Mon stage de fin d'études, qui a duré trois mois, je l'ai fait à Case-ih, une entreprise américaine de matériel agricole et de travaux publics. Je travaillais dans un site de production, pour l'animation, la rédaction et la mise en page du journal interne. »

Après son service militaire, il est recontacté par le DRH de Case-ih qui lui propose de remplacer leur responsable communication ! Mais, il ne sent pas prêt et décline la proposition. Une décision qu'il ne regrette pas puisque peu de temps après il répond à une annonce de l'APEC, qui correspondait complètement à son profil. « C'était l'entreprise Solvay (groupe chimique belge) qui recherchait une personne ayant une formation supérieure en communication, des connaissances dans les nouvelles technologies, un bon niveau d'anglais, et surtout une expérience dans l'industrie. C'est vraiment ça qui a favorisé mon embauche, car je connaissais vraiment bien le terrain. Je travaille donc comme chargé de communication, à la fois en interne et en externe. »

C'est aussi son goût pour un créneau qui ne faisait pas particulièrement rêver les candidats qui a favorisé les débuts de Dogad. « Au cours de l'entretien d'embauche, mon interlocuteur m'a demandé si la communication industrielle me rebutait. Moi, ça ne me gênait pas du tout, au contraire. J'aime son côté précis, pratique, sans blabla. Les neuf personnes passées avant moi ne semblaient pas de cet avis ! ».

Les nouvelles technologies ouvrent aujourd'hui de larges perspectives aux jeunes diplômés. Le parcours de Sandra est exemplaire à cet égard. À 25 ans, cette ancienne élève de l'Institut des hautes études économiques et commerciales (INSEEC) est aujourd'hui responsable du marketing *on line* à Business Village (société Internet du groupe BNP Paribas), à la tête d'une équipe de six personnes. Lors d'un stage en Belgique, en première année, elle commence à s'intéresser à Internet, mais c'est surtout lors de sa dernière année en **alternance** qu'elle s'est vraiment spécialisée. En apprentissage à Paribas, elle rédige un mémoire sur le développement de Internet et Intranet, et rencontre pour cela la responsable de Business Village, qui essaie de lancer

> **ALTERNANCE**
> Travailler en étudiant, c'est possible.
> L'apprentissage se pratique à tous les niveaux : pensez-y !

cette nouvelle société. Elle lui propose alors ses services : « C'est sûr que mon stage a été déterminant. Je faisais déjà un peu partie de la maison, et la responsable a pu appeler quelqu'un pour savoir ce que je valais. » En deux ans, elle est passée du statut d'assistante à un poste de responsable.

COMMENT BIEN PROFITER DE SON STAGE ?

Bien choisir son stage, c'est aussi s'assurer que son contenu vous apportera quelque chose. L'idéal consiste bien sûr à obtenir une mission que vous remplirez pendant deux, trois ou quatre mois. Vous pouvez aussi ne pas disposer d'une tâche aussi structurée mais vous trouver dans un lieu stratégique qui vous permettra d'observer les multiples facettes du secteur et de la vie de l'entreprise ou de l'agence. Prenez quelques garanties en demandant à votre futur responsable de stage de résumer dans votre convention les conditions dans lequel celui-ci se déroulera.

Cependant, le bénéfice que vous retirerez de ce stage dépend aussi beaucoup de vous. Au dire des professionnels, tous les stagiaires ne se valent pas : entre les perles qu'ils ont vraiment

LES STAGES INUTILES

Malgré les précautions que vous pourrez prendre, il est possible que vous vous aperceviez que votre stage ne vous apporte rien. « J'ai passé deux mois à faire des photocopies », se souvient cette étudiante. « Ils avaient mis un intitulé de mission très impressionnant, reconnaît cette autre stagiaire. En fait, j'ai passé trois mois à saisir un sondage que l'entreprise avait commandé : je devais additionner deux colonnes de chiffres pour n'en faire qu'une ! » Pas de contacts avec l'équipe, pas de missions intéressantes, aucune participation de près ou de loin à la vie de la structure et au travail de communication ou de création publicitaire... pas de doute, vous bouchez un trou sans pouvoir faire le vôtre ! Que faire ? « Si, au bout de deux mois, l'entreprise n'a confié à nos élèves que des tâches répétitives et que la situation menace de ne pas évoluer, nous leur conseillons de s'en aller », affirme-t-on dans les écoles.

envie de garder ou d'aider et ceux qui leur tapent franchement sur les nerfs, se perdent tous ceux qui passent sans laisser le moindre souvenir. L'ennui, c'est que l'impression que vous laissez derrière vous conditionne largement l'opinion qu'ils garderont ensuite non seulement de vous mais aussi de votre école !

▬▬ De l'humilité

Les stagiaires auraient-ils la grosse tête ? Alors ça, les professionnels n'aiment pas du tout ! À les entendre, de nombreux stagiaires arrivent chez eux en terrain conquis, traitant avec beaucoup de mépris les tâches matérielles inhérentes aux métiers de la communication : photocopier, saisir des listes de noms, vérifier des adresses, mettre sous pli... Ils auraient beaucoup de mal à comprendre que la communication, ce n'est pas que de la stratégie ou que des déjeuners avec des grands journalistes !

« Dans un service de presse, on ne peut pas confier d'emblée des tâches très exaltantes à un stagiaire, avoue cette attachée de presse. Il ne connaît pas les journalistes, ni l'entreprise, ni les produits. Il doit avant tout observer notre façon de travailler avant de pouvoir prendre des initiatives. Un jour, une stagiaire m'a dit qu'elle avait l'impression de faire un stage ouvrier chez nous ! »

« Il y a celles qui ne veulent pas se casser un ongle et ceux qui ne veulent pas se salir les mains, constate, ironique, cette responsable des relations extérieures. Mais, même à bac+5, ils ne savent rien. Les RP, c'est du terrain, il faut aussi retrousser ses manches ! »

▬▬ **De la curiosité**

Le bon stagiaire a donc conscience qu'il est là pour apprendre et non pour donner des leçons. Il le montre par son intérêt constant pour tout ce qui l'entoure, ses questions pertinentes sur le travail, le fonctionnement des services… En d'autres termes, si au bout de deux mois vous ne savez toujours pas ce que fait le-monsieur-dans-le-bureau-d'à-côté, vous avez forcément raté quelque chose.

La personne responsable de votre stage fera peut-être avec vous le tour du service ou de l'agence pour vous présenter. Si elle n'a pas eu le temps de le faire dès votre arrivée, n'hésitez pas à lui suggérer : vous êtes aussi là pour observer et comprendre comment fonctionne la structure où vous allez passer quelques mois.

Dès que vous sentez votre entourage disponible, n'hésitez pas à poser des questions. Déjeunez avec eux, si vous le pouvez. Là encore, l'humilité vous servira. Si vous acceptez volontiers de faire quelques photocopies pour eux, de les décharger lorsqu'ils sont débordés, ils auront à cœur de vous intégrer et de prendre le temps de répondre à vos interrogations.

Dans votre bureau, ouvrez grand vos yeux et vos oreilles. Si la mission que l'on vous a confiée ne vous passionne pas, essayez

LISEZ LA PRESSE

La curiosité et l'ouverture sur le monde, c'est indispensable pour travailler dans la communication. Pendant vos études, votre recherche d'emploi, lisez régulièrement la presse pour élargir votre culture générale, votre perception et votre sensibilité aux problèmes de société et à l'air du temps. Consultez la presse spécialisée pour vous familiariser avec le vocabulaire, les problématiques du milieu. Enfin, plongez-vous dans la presse professionnelle du secteur dans lequel vous souhaiteriez travailler : finance, mode, industrie, collectivités locales, etc.

En élargissant ainsi le champ de vos connaissances, vous vous informerez sur les mouvements dans les entreprises et les agences et saisirez plus aisément les opportunités.

de tirer profit de votre stage en vous imprégnant de votre environnement : comment s'organise-t-on ? Lorsqu'un problème surgit, comment réagit-on ?

La détermination

C'est le maître mot de ceux qui ont trouvé le poste qui les intéressait : s'imposer, proposer, s'accrocher, s'investir, réagir vite. « Ceux qui attendent qu'on vienne les chercher ou qui traversent leurs périodes de stage par obligation et sans conviction n'ont pas encore trouvé ! » précisent-ils. C'est aussi l'avis de ceux qui recrutent. « Il y a des gens qui font vraiment la différence, constate la responsable du service de presse d'une chaîne de télévision. Ils ont une volonté et une motivation farouches. »

Valérie sait ce qu'elle veut. À 24 ans, elle a un bac+5 et travaille depuis un an. Elle n'a pas traîné dans ses études, a choisi chacune de ses formations pour leur caractère professionnel et complémentaire. Pendant l'été, tous ses jobs ont été l'occasion de découvrir des facettes différentes de la communication : marketing téléphonique, un passage dans le service édition d'une société qui lui a permis de perfectionner ses connaissances en **PAO**, un autre dans le service fabrication d'une agence de pub… Pendant ses stages, elle a été celle dont on a apprécié les initiatives, celle à qui l'on a proposé un contrat à durée déterminée (CDD)… qu'elle n'a pas terminé car elle a trouvé un contrat à durée indéterminée (CDI) ailleurs !

> **PAO**
> Il s'agit de la publication assistée par ordinateur

Le chemin de Geneviève, 35 ans, attachée de presse dans l'édition, s'annonçait plus sinueux. Elle prépare un DUT info-com à Nancy, part deux ans aux États-Unis, revient en Lorraine pour faire une licence d'échanges internationaux. Elle veut travailler dans la communication mais ne sait pas où s'orienter. Elle écrit à une centaine d'offices de tourisme de montagne et reçoit un appel de Chamrousse. Le directeur veut la voir immédiatement. « C'était à 500 km de chez moi, mais j'ai accepté. J'ai pris ma voiture et je suis partie ! Nous nous sommes rencontrés et il m'a embauchée. Plus tard, il m'a dit que sa décision était prise en raccrochant ! »

▬▬ Encore et toujours la motivation

L'inertie est la pire des attitudes à adopter en stage. Soyez actif et réactif, enthousiaste et dynamique. Séverine, 26 ans, et Valérie, 24 ans, passionnées et accrocheuses, ont tiré le plus grand parti de leur stage.

« J'ai eu la chance de faire un stage dans le cadre de la préparation de la Conférence internationale sur la sécurité, les drogues et la prévention de la délinquance en milieu urbain avec Gilbert Bonnemaison, alors vice-président du Conseil national des villes, député-maire d'Épinay-sur-Seine. Il avait besoin d'une « petite

COMMENT SE FAIRE DES RELATIONS

Personne ne le niera : les relations, ça aide. Elles vous ouvrent des portes pour un stage très convoité par exemple, vous offrent une chance qu'il vous appartient de saisir… d'autant plus vivement que le nombre de « recommandés » ne cesse d'augmenter ! Mais – pur cas d'école, évidemment – si vous vous révélez nul, on ne vous gardera pas au-delà du stage, cela aussi est certain.

Si vous n'avez pas de relations avant de commencer vos études, ne regardez pas vos cours uniquement par le petit bout de la lorgnette. Certains de vos professeurs sont aussi des professionnels : ce seront des « relations ». Vos stages, bien choisis et bien suivis, créeront une amorce de tissu relationnel. Les travaux pratiques, les cas réels jugés par des jurys composés de professionnels vous fourniront aussi quelques occasions de vous faire remarquer.

Rapprochez-vous de l'association des anciens élèves, même en début de cycle alors même que vous ne vous sentez pas encore concerné par la recherche d'emploi. Imprégnez-vous du climat qui y règne, des difficultés rencontrées par les anciens ; profitez de leurs expériences, bonnes ou mauvaises. De plus, lorsqu'un poste doit être pourvu, les anciens élèves peuvent également s'adresser à l'école.

En conclusion : adoptez dès le départ une attitude professionnelle, ouverte au monde extérieur. Si vous subissez vos cours, si vous vous donnez bonne conscience en visant juste la moyenne, vous n'avez aucune chance. Les travaux professionnels et les stages vous offrent l'occasion de montrer votre potentiel et votre créativité : soyez exigeant avec vous-même !

main » pour faire des relances. J'ai travaillé à l'Assemblée nationale, côtoyé des juges, des avocats, des policiers, des médecins, des députés. On m'avait prévenue qu'après trois mois, c'était fini. Malgré cela, il m'est arrivé de travailler de 9 heures du matin à 6 heures… du matin ! Je me suis investie dans une histoire qui me passionnait et j'ai donné tout ce que j'avais dans le ventre ! Après les trois mois, j'ai demandé à poursuivre mon stage dans l'association jusqu'en juin et d'en faire mon sujet de mémoire. Puis j'ai quitté le Forum et j'ai envoyé de 200 à 300 lettres dans les mairies d'Île-de-France, mais c'était dur en 1992, et je n'ai eu que deux rendez-vous. En septembre, en revanche, j'ai eu beaucoup de chances car Gilbert Bonnemaison – que je n'avais pas sollicité – m'a proposé un poste d'attachée de presse dans sa mairie », raconte Séverine.

« J'ai fini mes études par un stage dans une clinique. J'ai fait un état des lieux de la communication interne et ai proposé un cahier des charges. J'ai passé un mois à dialoguer avec les personnels, à comprendre leurs attentes, leur mentalité. À partir d'une synthèse, j'ai fait des propositions : création d'un livret d'accueil, meilleure signalétique, amélioration des notes internes… Il n'y avait de responsable de la communication et on a été agréablement surpris par mon travail. Il n'y avait pas de budget pour embaucher quelqu'un sur ce type de poste, mais on m'a proposé de prolonger mon stage par un CDD pour que je mette ces outils en place », rapporte Valérie.

SE METTRE À SON COMPTE

Présentes en entreprise, en agence, dans les collectivités territoriales et le secteur public, la communication et la publicité s'exercent également sur le mode libéral. En *free lance* ou en créant sa propre agence, il est possible d'être son propre patron. La forme juridique choisie pour prendre son indépendance n'influe pas sur le contenu même du travail.

Le statut de profession libérale représente dans un premier temps la solution la plus simple. Se salarier dans sa propre agence présente en revanche tous les avantages inhérents au statut de salarié : protection sociale, retraite, congés payés et maternité… des détails qui comptent !

Libéral avec un L comme liberté ?

Devenir son propre patron et acquérir ainsi une plus grande liberté motive la plupart des professionnels exerçant en indépendant. Certains s'y épanouissent réellement et seraient très malheureux dans une structure hiérarchique. Pour d'autres, en revanche, l'indépendance, c'est déjà l'antichambre de l'enfer !

Travailler en *free lance*, cela signifie très souvent travailler seul : pas de collègues avec qui se détendre ou partager un doute, pas de chef sur le dos… mais personne à qui demander conseil. Les relations avec les autres professionnels libéraux sont ambiguës et les amitiés se nouent difficilement. « Nous sommes tous un peu concurrents », reconnaît cet attaché de presse.

Il faut également accepter que cette liberté s'accompagne d'incertitudes économiques. Des rentrées d'argent irrégulières, des niveaux d'activité très inégaux, des clients indélicats qui paient en retard (ou jamais) : la précarité est le lot quotidien du travailleur

LE MULTIMÉDIA : LE NOUVEL ELDORADO

Les magazines se plaisent à raconter les *success stories* de milliardaires virtuels de moins de 30 ans qui ont créé leur start-up sur une idée géniale. Dans le foisonnement de ce nouveau marché des nouvelles technologies, tout (ou presque) est encore possible. Les entreprises expriment une demande très forte en matière de multimédia : les jeunes diplômés trouvent là des débouchés très importants et les plus entreprenants n'attendent pas la maturité pour voler de leurs propres ailes.

Ainsi, à 25 ans, Nadège a déjà connu un peu toutes les facettes de la communication. En préparant un BTS communication des entreprises, elle multiplie les stages dans une imprimerie, une agence de pub et une agence de communication financière, puis intègre l'école Sup de Pub. Adhérente à la Junior entreprise de l'INSEEC (association d'étudiants qui permet d'obtenir des contrats avec des clients et de travailler comme dans une agence), elle travaille beaucoup sur l'événementiel.

Enfin, un stage de six mois à la société de bureautique ACB, où elle doit créer un site Internet, lui permet d'approfondir ses connaissances en multimédia. « Normalement, on doit faire un stage de fin d'années, mais j'ai obtenu une dérogation pour monter une boite, Success communication, avec un autre élève de Sup de Pub. C'est une agence conseil en communication, qui s'occupe de communication traditionnelle et de marketing, mais surtout de tout ce qui concerne Internet et Intranet. Tous nos clients viennent nous voir pour le multimédia. »

Bien sûr, tout n'a pas été tout rose au début. « Quand on monte une boite, on apprend vraiment au jour le jour. Les six premiers mois ont été difficiles, mais maintenant on commence à récolter les fruits de notre travail. »

libéral. Tout le monde ne la supporte pas. Ainsi Marie Gérard, aujourd'hui attachée de presse chez Adidas, se souvient : « On peut organiser son temps à sa guise et, si l'on s'investit beaucoup, on peut très bien gagner sa vie. Mais il faut travailler sur deux fronts en même temps : traiter les dossiers confiés et prospecter. Le gros problème, c'est la précarité. Dans le sport notamment, il y a des périodes très chargées et d'autres très creuses. Il faut donc savoir aménager son temps et ses finances ! Mon côté cigale s'est mal adapté à ces exigences ! »

Enfin, c'est une évidence qu'il faut bien rappeler : les indépendants travaillent beaucoup. « Au début, c'était très dur. Mais, si on se défonce, on arrive toujours à quelque chose, constate Éric Talbot, attaché de presse spécialisé dans le théâtre à Rouen. Aujourd'hui, ça marche bien… à condition de travailler beaucoup. Je ne me fixe pas de limites. Si on tient à ses week-ends et à ses vacances, mieux vaut rester salarié ! »

▨▨▨▨ Quand s'installer ?

Surtout pas en sortant de l'école ! Il vous faut auparavant acquérir une solide expérience professionnelle, vous faire connaître et reconnaître dans le milieu que vous souhaitez investir, vous lancer avec au moins trois budgets solides et… quelques économies.

Même si vous vous installez chez vous, il faudra vous procurer un minimum de matériel : un ordinateur, une imprimante, une connexion Internet, un gestionnaire de fichiers, un logiciel de PAO qui vous évitera de sous-traiter le moindre carton d'invitation, un Fax, une photocopieuse… Tout cela vous coûtera près de 50 000 F. En revanche, aucun capital n'est exigé pour adopter le statut de profession libérale. Il faut cependant effectuer quelques démarches auprès de l'administration des Impôts (pour la taxe professionnelle), s'inscrire au régime d'assurance maladie obligatoire des travailleurs non salariés, au régime d'assurance vieillesse obligatoire et au régime d'allocations familiales des travailleurs indépendants de l'URSSAF de sa localité.

Si vous décidez de créer une société, prévoyez 50 000 F pour apporter le capital minimal requis lors de la création d'une SARL, puis les frais afférents au local que vous louerez. Une visite amicale auprès de votre banque favorite sera sans doute indispensable pour négocier un éventuel découvert : il s'agit là d'un exercice un peu délicat puisque les banques accordent assez peu leur confiance aux entreprises de moins de trois ans. La caution d'un associé peut alors vous être utile. « Il y a un grand décalage entre le discours "créez votre entreprise !" et la réalité ; la banque regarde la personne qui crée une agence de communication comme un extraterrestre », constate Valérie, 28 ans, qui a créé son agence, après six ans d'expérience professionnelle.

▬▬ Quelques conseils…

Il peut arriver que des amis ou des relations vous confient la promotion d'un petit spectacle, par exemple, et qu'ils vous proposent de travailler ainsi en *free lance*. Si l'on ne vous fait pas immédiatement d'autres propositions, vous ne courez pas un grand risque à accepter – sauf à vous fâcher avec vos amis ! Cependant, hormis ce cas de figure, ne vous lancez pas en solo avant plusieurs années d'expérience. Cinq ans passés en agence avec des budgets très variés à gérer constitueraient une garantie minimale.

Si vous choisissez de vous spécialiser dans un domaine particulier (musique, théâtre, cinéma), cherchez à travailler auprès d'un professionnel reconnu qui vous permettra d'apprendre les ficelles du métier, de vous constituer un carnet d'adresses et surtout de vous introduire plus rapidement dans le milieu. La spécialisation, surtout pour les attachés de presse, constitue un atout important : de nombreuses entreprises et agences sous-traitent les relations avec la presse pour obtenir à chaque opération le meilleur rendement.

Mûrissez votre décision : parlez-en autour de vous, cela peut faire naître des vocations de clients ! Soyez prudent : les promesses n'engagent que ceux qui les croient! À moins de trois contrats sérieux, ne bougez pas, mais n'attendez pas non plus d'avoir du travail pour un an, cela ne vous arrivera pas avant longtemps! Enfin, ayez soin de vous inscrire auprès d'une association agréée qui vous aidera à tenir votre **comptabilité**. Votre centre d'impôts tient à votre disposition une liste d'associations agréées, dont certaines organisent également des sessions de formation.

> **COMPTABILITÉ**
> Suivez un stage de gestion avant de vous lancer. La plupart des faillites sont provoquées par une mauvaise gestion.

POUR ALLER PLUS LOIN

• Agence pour la création d'entreprises (APCE), 14, rue Delambre, 75014 Paris, tél. 01.42.18.58.58. Site Internet : apce.com

• Caisse d'assurance maladie des professions libérales d'Île-de-France, 22, rue Violet, 75730 Paris cedex 15, tél. 01.45.78.32.00.

• Caisse d'assurance maladie des professions libérales pour la province, tour Franklin cedex 11, 92081 Paris-La Défense, tél. 01.41.26.27.28.

• Caisse nationale d'assurance vieillesse des professions libérales, 102, rue de Miromesnil, 75008 Paris, tél. 01.44.95.01.50.

LEXIQUE

Si vous n'êtes pas encore initié, ne vous laissez pas dérouter par le jargon utilisé par les professionnels de la communication et de la publicité. Utilisez ce lexique sans plus tarder. Pour en savoir plus, vous pouvez également vous reporter à l'ouvrage *Lexicom, les 3 000 mots du marketing publicitaire, de la communication et des techniques de production*, par Alain Milon et Serge-Henri Saint-Michel, aux éditions Bréal.

Brainstorming : réunion au cours de laquelle les assistants participent à une séance de réflexion.

Brand review : compilation de tous les éléments de communication d'une marque.

Brief (ou briefing) : séance d'information, d'instructions ou discussion donnant lieu à un document qui définit les actions à entreprendre.

Charte graphique : constituée avant la mise en œuvre d'une identité visuelle, elle définit les principes du concept d'identité et du système d'identification.

Cible : catégorie de population que l'on souhaite toucher ; le cœur de cible est la partie sur laquelle on concentre les moyens.

Communication B to B *(business to business)* **:** communication entre professionnels, qui ne vise pas le grand public.

Communication environnement : consiste à faire savoir que l'entreprise se préoccupe de la protection de l'environnement ; souci intégré lors de la fabrication des produits, élimination des déchets, suppression des tests sur animaux…

Communication globale : désigne l'ensemble de toutes les communications.

Communication de recrutement : vise à séduire et attirer les meilleurs profils.

Communication produit : vise à lancer ou faire vendre un produit ou un service particulier de l'entreprise.

Communication publique : émane des administrations, des collectivités locales et, d'une façon générale, des organismes et entreprises relevant du secteur public.

Communication santé : désigne soit la communication émanant des professionnels de la santé, soit la communication sur la santé publique (prévention, informations sur le sida…).

Dircom : directeur de la communication.

Dirmark : directeur du marketing.

Hors média : représente 50 % des investissements de communication. Recouvre la promotion, la publicité directe ou le marketing direct et les relations publiques.

Institutionnelle : se dit à propos d'une communication faite sur l'entreprise, et non sur un produit ou une marque.

Leader d'opinion : personne pouvant influencer l'opinion d'une population visée.

Logo (logotype) : ensemble composé du nom de marque et d'une forme visuelle.

Mailing : support publicitaire adressé par courrier. Favorise le contact direct entre l'entreprise et le consommateur.

Marketing direct : méthode de vente mettant en relation directe le produit et le consommateur. Il est né avec la vente par correspondance (VPC). Son outil de base est le fichier.

Médias : l'affichage, la presse quotidienne nationale ou régionale, les magazines, la télévision, la radio, le cinéma.

Ours : fiche documentaire qui énumère les noms des responsables de la publication, des journalistes et qui indique les adresses et numéros de téléphone de la rédaction, de la publicité, etc.

PG : presse gratuite.

Pigiste : journaliste qui collabore, régulièrement ou non, à une ou plusieurs publications. Il n'est pas salarié, mais rémunéré à la pige, c'est-à-dire à l'article.

PLV : promotion sur le lieu de vente. Le pancartage, les affichettes et les présentoirs-distributeurs sont les outils de la PLV.

PM : presse magazine.

PQN : presse quotidienne nationale.

PQR : presse quotidienne régionale.

Promotion : ensemble d'actions pour faire connaître et vendre un produit. Cela recouvre les ventes à primes (petits cadeaux), les jeux et concours, les réductions de prix, la *charity promotion* (versement d'une partie du prix à une association humanitaire), les propositions d'essai, le *couponing* (coupon à renvoyer) et toutes techniques de stimulation des distributeurs.

Recommandation : dossier remis par l'agence à son client après diagnostic de la situation et contenant des propositions d'actions de communication.

RP : relations publiques.

Speculative : compétition organisée entre plusieurs agences pour répondre à une demande d'une entreprise.

Site Internet : serveur informatique où sont stockées les informations.

CARNET D'ADRESSES

Le secteur de la communication est extrêmement mouvant. Chaque jour des agences naissent, disparaissent ou sont rachetées. Les adresses que vous trouverez ci-après, tant des écoles que des organismes professionnels ou des agences, sont donc des données éminemment périssables. Nous nous excusons par avance auprès de nos lecteurs des erreurs qu'ils pourraient relever.

LE BTS
COMMUNICATION
DES ENTREPRISES

03306 Cusset cedex
Lycée de Presles Vichy-Cusset,
bd du 8-Mai-1945, BP 310,
tél. 04.70.97.25.25.

06050 Nice cedex
Lycée Le Parc-Impérial,
2, av. Suzanne-Lenglen,
tél. 04.92.15.24.60.

06200 Nice
Pigier, Hibiscus-Park, 150, bd des Jardiniers,
tél. 04.93.29.83.33.

11100 Narbonne
École Ruffel de Narbonne (ESR),
parc de Maraussan 3,
56, route de Lunes, tél. 04.68.32.35.33.

13006 Marseille
Soft Formation, 77, cours Pierre-Puget,
tél. 04.91.15.71.00.

13007 Marseille
Lycée technique privé Jeanne-Perrimond,
244, chemin du Roucas-Blanc,
tél. 04.91.52.83.07.

13100 Aix-en-Provence
École supérieure d'action et de recherche
commerciales (ESARC Aix-en-Provence),
24, route de Galice, tél. 04.42.29.74.72.

13090 Aix-en-Provence
Merkure Formation, la Figuière,
130, av. du Club-Hippique,
tél. 04.42.20.66.66.

13090 Aix-en-Provence
Merkure Institut, la Figuière,
130, av. du Club-Hippique,
tél. 04.42.20.62.06.

13300 Salon-de-Provence
École technique privée (IGESEC-IPEC),
64, rue Sénèque, tél. 04.90.56.26.67.

13326 Marseille cedex 15
Lycée Saint-Exupéry,
529, chemin de la Madrague-Ville,
tél. 04.91.09.69.24.

14000 Caen
Arcade formation,
9, rue du Colonel-Rémy,
ZAC de la Folie-Couvrechef,
tél. 02.31.93.09.12.

15013 Aurillac cedex
Lycée Saint-Géraud.
Lycée de la communication,
23, rue du Collège, tél. 04.71.48.28.18.

16017 Angoulême cedex
Lycée polyvalent régional mixte
Marguerite-de-Valois, rue Louise-Leriget,
BP 1392, tél. 05.45.97.45.00.

16340 L'Isle-d'Espagnac
Cité des formations professionnelles
(CIFOP), zone industrielle n°3,
tél. 05.45.90.13.13.

17000 La Rochelle
Horizon formation, village informatique,
11, rue Alfred-Kastler, tél. 05.46.34.30.16.

17300 Rochefort
Lycée Merleau-Ponty,
rue Raymonde-Maous,
tél. 05.46.99.23.20.

18000 Bourges
École supérieure des techniques
appliquées à la communication
(ESTACOM), 25, rue Louis-Mallet,
tél. 02.48.67.55.55.

21000 Dijon
Lycée privé Les Arcades,
13, rue du Vieux-Collège,
tél. 03.80.68.48.28.

26000 Valence
École privée supérieure de commerce
et gestion Victor-Leroy (EPSECO),
immeuble le Forum, 7, av. de Verdun,
tél. 04.75.55.95.42.

30000 Nîmes
Lycée d'enseignement technologique
de la CCI de Nîmes,
1 ter, av. du Général-Leclerc,
tél. 04.66.04.95.11.

31000 Toulouse
Institut supérieur européen de gestion
(ISEG), 14, rue Claire-Pauilhac,
tél. 05.61.62.35.37.

31070 Toulouse cedex
Lycée Ozenne, 9, rue Merly,
tél. 05.61.11.58.00.

31319 Labège cedex
École supérieure d'action et de recherche
commerciales (ESARC Toulouse),
Labège-Innopole, campus de Bissy,
voie 4, BP 677, tél. 05.61.39.97.98.

31700 Blagnac
Centre pédagogique d'Occitanie.
Institut supérieur de formation
professionnel (CPO-ISFP),
58, route de Grenade, tél. 05.61.71.60.43.

33000 Bordeaux
Institut supérieur européen de gestion
(ISEG), 23-25, rue des Augustins,
tél. 05.56.91.33.02.

33100 Bordeaux
Lycée technique
Sainte-Marie-de-la-Bastide,
123, av. Thiers, tél. 05.57.77.30.20.

33405 Talence cedex
Lycée Victor-Louis,
2, av. de Thouars, tél. 05.56.80.76.40.

33700 Mérignac
École supérieure d'action et de recherche commerciales management. Centre de formation et d'interrecrutement des entreprises management (ESARC-CEFIRE management), 83-97, av. Bon-Air, tél. 05.56.12.81.82.

33700 Mérignac
Institut d'Aquitaine commerce. AQTIF alternance, 83-97, av. Bon-Air, tél. 05.56.12.81.82.

34088 Montpellier cedex 4
Lycée Jean-Monnet, rue de Malbosc, BP 7045, tél. 04.67.10.36.00.

34097 Montpellier cedex 05
Institut supérieur de communication (ISCOM), parc Euromédecine, 1702, rue Saint-Priest, tél. 04.67.10.57.57.

34290 Servian
École Ruffel de Béziers-Servian (ESR), ZAE La Baume, tél. 04.67.39.90.70.

35000 Rennes
École supérieure privée Saint-Thomas (ESUP), 31, rue Monseigneur-Duchesne, tél. 02.99.30.90.03.

35000 Rennes
Institut européen de formation (ISTER), 75, rue de Châteaugiron, tél. 02.23.30.00.11.

35003 Rennes cedex
Lycée technique privé mixte Jeanne-d'Arc, 61, rue La Fontaine, BP 129, tél. 02.99.84.30.30.

35506 Vitré cedex
Lycée Bertrand-d'Argentré, 15, rue du Collège, BP 340, tél. 02.99.75.05.50.

37059 Tours cedex
Lycée Saint-Vincent, 20, rue Rouget-de-l'Isle, BP 5923, tél. 02.47.38.65.20.

37174 Chambray-lès-Tours cedex
Lycée privé polyvalent Sainte-Marguerite, 1, rue Horizon-Vert, BP 443, tél. 02.47.74.80.00.

38000 Grenoble
Baronnat-Pascal, 31, rue de Turenne, tél. 04.76.86.27.15.

38000 Grenoble
École supérieure de commerce Wesford, 6, bd Gambetta, tél. 04.76.86.67.27.

38000 Grenoble
École supérieure privée Faugier-Hays (CFH), 38, rue d'Alembert, tél. 04.76.48.15.48.

38000 Grenoble
Instituts Univéria. Instituts arts appliqués, entreprise, environnement, esthétique, optique, santé, tourisme, 27, rue de Turenne, tél. 04.76.46.00.47.

38029 Grenoble cedex
Lycée Emmanuel-Mounier, 6, av. Marcelin-Berthelot, tél. 04.76.86.64.32.

42000 Saint-Étienne
Institut privé supérieur d'enseignement et d'alternance (IPSEA), 5, place Jean-Jaurès, tél. 04.77.49.13.86.

42023 Saint-Étienne
Lycée Honoré-d'Urfé, 1, impasse le Châtelier, tél. 04.77.57.38.58.

43002 Le Puy-en-Velay cedex
Lycée technique privé Anne-Marie-Martel, 2, rue de Vienne, BP 44, tél. 04.71.05.46.66.

44000 Nantes
Institut supérieur européen de gestion (ISEG), 28, rue Armand-Brossard, tél. 02.40.89.07.52.

44000 Nantes cedex 03
ISEDE-ICD, 11, rue des Saumonières, BP 41205, tél. 02.40.29.38.14.

44000 Nantes
Ressources on line, 28, rue Félibien, tél. 02.40.35.12.40.

44001 Nantes cedex 1
Lycée privé technique Saint-Félix, 27, rue du Ballet, BP 60105, tél. 02.40.14.50.50.

44017 Nantes cedex 1
Centre inter-entreprises de formation en alternance (CIEFA), 114, rue des Hauts-Pavés, BP 91721, tél. 02.40.59.65.01.

44184 Nantes cedex 04
Lycée Carcouët, 115, bd du Massacre, BP 98430, tél. 02.40.16.18.18.

45058 Orléans cedex
Centre de formation supérieure d'apprentis de l'AFTEC (CFSA-AFTEC), 27, av. du Parc-de-L'Étuvée, tél. 02.38.22.13.00.

47000 Agen
Lycée polyvalent Bernard-Palissy, 164, bd de la Liberté, tél. 05.53.77.46.50.

49066 Angers cedex 01
École supérieure des Pays de Loire (ESPL), 20, rue Alexandre-Fleming, tél. 02.41.73.20.30.

49100 Angers
École supérieure des techniques modernes. Cours Lebreton (ESTM), 4, rue Saint-Maurille, tél. 02.41.25.35.15.

49300 Cholet
Lycée technique privé Sainte-Marie, 43, rue Saint-Bonaventure, tél. 02.41.49.16.49.

51100 Reims
Institut commercial de Champagne-Ardenne (ICCA), 46, rue de la Justice, tél. 03.26.47.53.37.

54000 Nancy
Pigier, 43, cours Léopold, tél. 03.83.35.97.97.

55104 Verdun cedex
Lycée de la Doctrine-Chrétienne, 14, rue Mautroté, BP 131, tél. 03.29.83.36.50.

56275 Ploemeur cedex
Lycée technique privé Notre-Dame-de-la-Paix, Beg-er-Lann, 6, rue des Ormes, BP 74, tél. 02.97.37.20.68.

57070 Metz
Lycée de la communication, 3, bd Arago, technopôle Metz 2000, tél. 03.87.75.87.00.

59000 Lille
Institut supérieur européen de gestion (ISEG), 6-8, bd Denis-Papin, tél. 03.20.85.06.96.

59016 Lille cedex
Lycée Gaston-Berger, av. Gaston-Berger, BP 69, tél. 03.20.49.31.59.

59055 Roubaix cedex 01
Institut professionnel roubaisien (IPR), 22, rue de la Paix, BP 244, tél. 03.20.89.41.71.

59163 Condé-sur-l'Escaut
Lycée polyvalent et professionnel Charles-Deulin, 89, rue de la Chaussiette, BP 39, tél. 03.27.40.04.95.

59405 Cambrai cedex
Lycée privé la Sagesse, 7, rue du Temple, BP 247, tél. 03.27.82.28.28.

59700 Marcq-en-Barœul
École Kienz, 39, av. de Flandre, tél. 03.20.72.62.02.

59800 Lille
Efficom Nord, 20, rue du Maréchal-de-Lattre-de-Tassigny, tél. 03.20.15.16.77.

59800 Lille
Institut supérieur de communication (ISCOM), 41, rue d'Amiens, tél. 03.20.40.00.12.

60000 Beauvais
Lycée Jeanne-Hachette, 31, bd Amyot-d'Inville, tél. 03.44.06.73.73.

62280 Saint-Martin-Boulogne
Lycée technique privé Saint-Joseph, 26-30, route de Calais, tél. 03.21.99.06.99.

62408 Béthune cedex
Lycée polyvalent régional André-Malraux, rue Jules Massenet, tél. 03.21.64.61.61.

64000 Pau
Lycée polyvalent privé Saint-Dominique, 30, av. Fouchet, tél. 05.59.32.01.23.

67000 Strasbourg
École Europe technique, 23A, rue Vauban, tél. 03.88.60.79.79.

67000 Strasbourg
Institut supérieur de communication (ISCOM), 15, rue des Magasins, tél. 03.88.37.59.03.

67000 Strasbourg
Institut supérieur européen de gestion (ISEG), 10, rue du Général-Castelnau, tél. 03.88.36.02.88.

67046 Strasbourg cedex
Lycée d'enseignement technique et commercial René-Cassin, 4, rue Schoch, BP 67, tél. 03.88.45.54.54.

69001 Lyon
Lycée Saint-Louis-Saint-Bruno, 16, rue des Chartreux, tél. 04.72.98.23.30.

69003 Lyon
Association pour la promotion par la formation (APROFOR), 148, rue Créqui, tél. 04.78.62.90.07.

69003 Lyon
Institut supérieur de communication (ISCOM), Le Galaxie, 14, av. Georges-Pompidou, tél. 04.72.91.36.04.

69003 Lyon
Institut supérieur du tertiaire et de la communication (ISTC-APROFO-ISEC), 148, rue Créqui, tél. 04.78.62.90.07.

69003 Lyon
Institut supérieur européen de gestion (ISEG), 86, bd Vivier-Merle, tél. 04.78.62.37.37.

69009 Lyon
Centre inter-entreprises de formation en alternance. Centre de formation d'apprentis bureautique et métiers tertiaires (CIEFA-CFA), 14, rue Gorge-de-Loup, cap Vaise, tél. 04.72.53.17.77.

69009 Lyon
École supérieure de communication (Sup' de com), 47, rue Saint-Pierre-de-Vaise, tél. 04.78.47.76.58.

69560 Saint-Romain-en-Gal
Lycée polyvalent de Vienne-Saint-Romain-en-Gal, BP 40, tél. 04.74.53.74.53.

72000 Le Mans
Pigier, 41, rue du Docteur-Leroy,
tél. 02.43.39.92.60.

75002 Paris
Centre inter-entreprises de formation
en alternance. ICD alternance (CIEFA),
40, rue des Jeûneurs, tél. 01.44.82.38.10.

75003 Paris
Institut supérieur européen de gestion
(ISEG), 28, rue des Francs-Bourgeois,
tél. 01.44.78.88.88.

75005 Paris
École Claude-Bernard, 34, rue de la Clef,
tél. 01.43.31.21.46.

75005 Paris
École supérieure d'informatique,
de commerce et de gestion (ESIG Paris),
15, rue Soufflot, tél. 01.44.41.82.82.

75005 Paris
Institut supérieur commercial
en alternance (ISCA), 4, rue Valette,
tél. 01.55.42.76.76.

75006 Paris
Lycée privé d'enseignement
technologique Carcado-Saisseval,
121, bd Raspail, tél. 01.45.48.43.46.

75009 Paris
Institut supérieur de communication
(ISCOM), 4, cité de Londres,
tél. 01.55.07.07.77.

75010 Paris
Institut supérieur interprofessionnel
de formation en alternance (ISIFA-NORD),
9, rue d'Hauteville, tél. 01.53.24.60.24.

75011 Paris
Centre européen de formation
professionnelle (CEFP),
8 *bis*, rue de la Fontaine-au-Roi,
tél. 01.48.05.11.88.

75011 Paris
École de publicité, presse
et relations publiques (EPPREP),
6, rue Froment, tél. 01.55.28.82.82.

75012 Paris
Institut Honoré de France, 11, rue du
Sergent-Bauchat, tél. 01.43.45.98.32.

75013 Paris
Lycée Jean-Lurçat, 121-123, rue de Patay,
tél. 01.44.06.77.50.

75015 Paris
École supérieure de publicité,
de communication et de marketing
(ESPCM), 164, rue de Javel,
tél. 01.40.60.08.65.

75017 Paris
École de préparation à la pratique des
affaires (EPPA), 14, bd Gouvion-Saint-Cyr,
tél. 01.45.74.58.51.

75019 Paris
Institut supérieur de communication
et de marketing, 31, quai de la Seine,
tél. 01.42.09.99.17.

75589 Paris cedex 12
Efficom Paris, 22, bd de la Bastille,
tél. 01.43.46.22.22.

75739 Paris cedex 15
Institut de commerce et de gestion
(ICOGES), 9, rue Saint-Lambert,
tél. 01.45.58.17.33.

75847 Paris cedex 17
École nationale de commerce
(ENC Bessières), 70, bd Bessières,
tél. 01.44.85.85.00.

76005 Rouen cedex
Lycée Camille-Saint-Saëns,
20, rue de la Tour-de-Beurre,
tél. 02.35.98.62.58.

76600 Le Havre
Institution Saint-Joseph, CHCI,
182, quai George-V, tél. 02.35.22.51.52.

78000 Versailles
Pigier, 2, impasse du Débarcadère,
tél. 01.39.67.51.00.

**78885 Saint-Quentin-en-
Yvelines cedex**
Pigier, 23, rue Colbert, centre commercial
régional, tél. 01.34.52.70.70.

80017 Amiens cedex 1
Interfor Sia, 2, rue Vadé, BP 18,
tél. 03.22.82.00.00.

87280 Limoges
École supérieure de commerce,
de communication et de gestion (ES2C),
espace galaxie, centre services affaires,
37, rue Barthélemy-Thimonnier, ZIN,
tél. 05.55.38.48.58.

91801 Brunoy cedex
Lycée technologique Saint-Pierre.
Institut Saint-Pierre, 70, rue de
Montgeron, BP 201, tél. 01.60.47.99.99.

92130 Issy-les-Moulineaux
Institut supérieur international de
commerce. Institut interprofessionnel
de formation en alternance (ISIFA-SUD),
10, rue de Vanves, tél. 01.40.95.13.00.

93100 Montreuil-sous-Bois
Plus-values, 6-8, rue Gaston-Lauriau,
tél. 01.48.70.07.00.

93120 La Courneuve
Lycée Jacques-Brel,
4, rue Dulcie-September,
tél. 01.43.11.36.00.

94300 Vincennes
Lycée privé Grégor-Mendel,
205, rue de Fontenay,
tél. 01.49.57.97.00.

94430 Chennevières-sur-Marne
Lycée polyvalent mixte Champlain,
rue des Bordes, tél. 01.56.86.19.10.
95801 Cergy-Pontoise cedex
Lycée polyvalent régional Galilée,
11, av. du Jour, BP 8242,
tél. 01.34.41.74.20.
95804 Cergy-Pontoise cedex
Centre de développement de la formation
par l'alternance (CDFA), bureaux de
l'Horloge, 12, rue de la Bastide, BP 8352,
tél. 01.34.20.08.02.
97100 Basse-Terre
Lycée Gerville-Réache, 37, rue Amédée-
Fengarol, tél. 0590.81.16.27.
97491 Sainte-Clotilde cedex
Lycée polyvalent Leconte-de-Lisle,
cité scolaire du Butor, BP 37,
tél. 0262.94.79.20.

LE DUT
INFORMATION-
COMMUNICATION

Vous trouverez ci-dessous
les coordonnées des
établissements qui proposent
les options communication
d'entreprise (a) et publicité (b).

06560 Valbonne
IUT, 650, route des Colles,
tél. 04.93.95.51.00. (a)
14123 Ifs
IUT, rue Anton-Tchekhov, campus 3,
BP 53, tél. 02.31.52.55.00. (a)
22302 Lannion cedex
IUT, rue Édouard-Branly, BP 150,
tél. 02.96.48.43.34. (a)
25009 Besançon cedex
IUT, 30, av. de l'Observatoire, BP 1559,
tél. 03.81.66.68.00. (a, b)
31077 Toulouse cedex 4
IUT A, 115, route de Narbonne,
tél. 05.62.25.80.00. (a)
33175 Gradignan cedex
IUT, rue Naudet, BP 204,
tél. 05.56.84.44.44. (a, b)
38031 Grenoble cedex
IUT 2, 2, place Doyen-Gosse,
tél. 04.76.28.45.09. (a)
54052 Nancy
IUT A, 2 ter, bd Charlemagne, CS 5227,
tél. 03.83.91.31.31. (a, b)
59208 Tourcoing
IUT B, 35, rue Sainte-Barbe, BP 460,
tél. 03.20.76.25.00. (a)

67400 Illkirch-Graffenstaden
IUT, 72, route du Rhin,
tél. 03.88.67.63.00. (a, b)
69372 Lyon cedex 08
IUT, 4, cours Albert-Thomas,
tél. 04.78.78.75.52, 04.78.78.75.54. (a)
75016 Paris
IUT, 143, av. de Versailles,
tél. 01.44.14.44.00. (a, b)
76610 Le Havre
IUT, place Robert-Schuman, BP 4006,
tél. 02.32.74.46.00. (b)
85000 La Roche-sur-Yon
IUT, 18, bd Gaston-Defferre,
tél. 02.51.47.84.60, 02.51.47.84.50. (a)

LES FORMATIONS
POST-BTS/DUT

La liste ci-dessous présente les
formations complémentaires en
un an après un diplôme de niveau
bac+2, BTS, DUT ou DEUG dans
le domaine de la communication
et de la publicité. Pour chaque
formation, nous précisons s'il
s'agit d'un certificat d'école (CE),
d'un titre délivré par une chambre
de commerce et d'industrie (titre
CCI) ou d'un diplôme universitaire
(DU). Nous indiquons ensuite
l'établissement qui dispense la
formation, ses coordonnées et
son statut, public (Pu), privé sous
contrat (Prc), privé (Pr) ou consulaire.

**Année complémentaire
post-universitaire ESP +**
CE. ESP (Pr), 9, rue Léo-Delibes,
75116 Paris, tél. 01.47.27.77.49.
**Certificat d'assistant,
option communication**
CE. ISEFAC (Pr), 8, rue de Candale,
33000 Bordeaux, tél. 05.56.91.99.09.
**Certificat d'études
supérieures en relations
publiques (CESREP)**
CE. ESICAD (Pr), voie la Tolosane,
BP 657, 31319 Labège cedex,
tél. 05.61.39.03.63.
**Certificat de chargé
de communication**
CE. Efficom Nord (Pr), 20, rue du
Maréchal-de-Lattre-de-Tassigny,
59800 Lille, tél. 03.20.15.16.77.

Certificat de concepteur-rédacteur en communication
Titre CCI. CEPRECO (Co),
45, av. André-Chénier, BP 145,
59053 Roubaix cedex, tél. 03.20.28.29.05.

Certificat de journaliste d'entreprise et des collectivités
CE. Lycée privé technique Saint-Félix (Prc), 27, rue du Ballet, BP 60105,
44001 Nantes cedex 1, tél. 02.40.14.50.50.

Certificat en communication des PME et collectivités
Titre CCI. CEPRECO (Co),
45, av. André-Chénier, BP 145,
59053 Roubaix cedex, tél. 03.20.28.29.05.

Certificat en journalisme de communication d'entreprise et de collectivités
CE. Lycée privé la Sagesse (Prc),
7, rue du Temple, BP 247, 59405 Cambrai cedex, tél. 03.27.82.28.28.

Certificat en techniques avancées de communication
CE. Ensemble scolaire Pradeau-la-Sède (Prc), 14, rue Mesclin, 65912 Tarbes cedex 09, tél. 05.62.44.20.66.

Diplôme de chargé de communication
CE. ISTC (Pu), 67, bd Vauban, BP 109,
59800 Lille, tél. 03.20.54.32.32.

Diplôme européen d'études supérieures en communication (DEESCOM)
• CE. CIFAC-Bernom (Pr), 78, av. Carnot,
BP 06, 33019 Bordeaux cedex,
tél. 05.57.22.42.32.
• CE. École Kienz (Pr), 39, av. de Flandre,
59700 Marcq-en-Barœul,
tél. 03.20.72.62.02.
• CE. Efficom Paris (Pr), 22, bd de la Bastille,
75589 Paris cedex 12, tél. 01.43.46.22.22.
• CE. Institut André-Malraux (Pr),
10, place Sadi-Carnot, 42000 Saint-Étienne,
tél. 04.77.92.11.52.
• CE. Institut Bernom (Pr),
379, bd du Président-Wilson,
BP 06, 33019 Bordeaux cedex,
tél. 05.57.22.42.42.
• CE. Pigier (Pr), Hibiscus-Park,
150, bd des Jardiniers, 06200 Nice,
tél. 04.93.29.83.33.
• CE. CEFP (Pr),
8 bis, rue de la Fontaine-au-Roi,
75011 Paris, tél. 01.48.05.11.88.
• CE. EPPREP (Pr), 6, rue Froment,
75011 Paris, tél. 01.55.28.82.82.
• CE. EPR-DCF (Pr), chemin du Champ-des-Martyrs, 49240 Avrillé,
tél. 02.41.69.68.80.

• CE. ESCADE (Pr), 98, allée des Champs-Élysées, 91042 Évry cedex,
tél. 01.69.91.08.70.
• CE. ESGCI (Pr), 242, rue du Faubourg-Saint-Antoine, 75012 Paris,
tél. 01.55.25.46.20.
• CE. ESICAD (Pr), voie la Tolosane,
BP 657, 31319 Labège cedex,
tél. 05.61.39.03.63.
• CE. ESIG Paris (Pr), 15, rue Soufflot,
75005 Paris, tél. 01.44.41.82.82.
• CE. ESIG Toulouse (Pr),
12, rue de l'Industrie, 31000 Toulouse,
tél. 05.62.73.89.00.
• CE. ESIG-EST Amiens (Pr),
3, rue Vincent-Auriol, 80000 Amiens,
tél. 03.22.71.71.00.
• CE. ESPCM (Pr), 164, rue de Javel,
75015 Paris, tél. 01.40.60.08.65.
• CE. ESPL (Pr), 20, rue Alexandre-Fleming, 49066 Angers cedex 01,
tél. 02.41.73.20.30.
• CE. ESUP (Pr), 31, rue Monseigneur-Duchesne, 35000 Rennes,
tél. 02.99.30.90.03.
• CE. ESVE (Pr), 19, bd de Sébastopol,
75001 Paris, tél. 01.40.26.26.24.
• CE. ICOGES (Pr), 9, rue Saint-Lambert,
75739 Paris cedex 15,
tél. 01.45.58.17.33.
• CE. ISCA (Pr), 4, rue Valette, 75005
Paris, tél. 01.55.42.76.76.
• CE. ISCOM (Pr), 15, rue des Magasins,
67000 Strasbourg, tél. 03.88.37.59.03.
• CE. ISCPA (Pr), campus Parodi,
12, rue Alexandre-Parodi, 75010 Paris,
tél. 01.40.03.15.56.
• CE. ISCPA (Pr), 107, rue de Marseille,
69007 Lyon, tél. 04.72.73.47.83.
• CE. ISIFA-NORD (Pr), 9, rue d'Hauteville,
75010 Paris, tél. 01.53.24.60.24.
• CE. ISIFA-SUD (Pr), 10, rue de Vanves,
92130 Issy-les-Moulineaux,
tél. 01.40.95.13.00.
• CE. ISTER (Pr), 75, rue de Châteaugiron,
35000 Rennes, tél. 02.23.30.00.11.
• CE. KFE (Pr), 101, place des Miroirs,
91000 Évry, tél. 01.69.36.49.10.
• CE. Sup' de com (Pr),
47, rue Saint-Pierre-de-Vaise,
69009 Lyon, tél. 04.78.47.76.58.

DU animateur-technicien en technologies de l'information et de la communication (DU ATTIC)
DU. IUT (Pu), 28, av. Léon-Jouhaux,
42023 Saint-Étienne cedex 2,
tél. 04.77.46.33.00.

**DU communication
en entreprise**
DU. IUP (Pu), rue Charles-Percier,
BP 460, 66004 Perpignan cedex,
tél. 04.68.08.18.19.

**DU communication et gestion
des entreprises à vocation
européenne (DUCG)**
DU. IUT (Pu), 3, rue du Clos-Courtel,
BP 1144, 35014 Rennes cedex,
tél. 02.99.84.40.00.

**DU communication
et marketing européen, option
chargé de communication
externe et interne**
DU. IUT (Pu), 650, route des Colles,
06560 Valbonne, tél. 04.93.95.51.00.

**DU communication
internationale et management
interculturel (CIRIMM)**
DU. IUT (Pu), rue Naudet, BP 204, 33175
Gradignan cedex, tél. 05.56.84.44.44.

**DU communication
internationale spécialisée
(DUCIS)**
DU. IUT (Pu), 30, av. de l'Observatoire,
BP 1559, 25009 Besançon cedex,
tél. 03.81.66.68.00.

**DU correspondant
d'entreprises en nouvelles
technologies de l'information
et de la communication
(DUCENTIC)**
DU. IUT (Pu), 9, rue de Québec, BP 396,
10026 Troyes cedex, tél. 03.25.42.46.46.

**DU nouvelles technologies
et communication dans le
bassin méditerranéen (DUVPP)**
DU. UFPST (Pu), centre Saint-Jérôme,
av. Escadrille-Normandie-Niémen, 13397
Marseille cedex 20, tél. 04.91.28.88.89.

**DU techniques de
communication et multimédia**
DU. EJCM (Pu), 21, rue Virgile-Marron,
13392 Marseille cedex 05,
tél. 04.91.24.32.00.

**Formation en communication :
SP com, options stratégie-
médias, relations publiques-
presse, multimédia,
communication de proximité**
CE. Institut supérieur de communication
et de marketing (Pr), 31, quai de la Seine,
75019 Paris, tél. 01.42.09.99.17.

**Formation en économie
et stratégie des communications**
CE. Intermédia (Pr), 2, rue Grignau,
13001 Marseille, tél. 04.91.55.56.85.

**Formation en marketing
et communication**
CE. Intermédia (Pr), 2, rue Grignau,
13001 Marseille, tél. 04.91.55.56.85.

**Spécialisation
communication et tourisme**
• CE. ISCOM (Pr), 41, rue d'Amiens,
59800 Lille, tél. 03.20.40.00.12.

**Spécialisation
en communication**
• CE. Efficom Paris (Pr), 22, bd de la Bastille,
75589 Paris cedex 12, tél. 01.43.46.22.22.

**Spécialisation
en communication globale
(COMAL 3)**
• CE. Pigier (Pr), Hibiscus-Park,
150, bd des Jardiniers, 06200 Nice,
tél. 04.93.29.83.33.
• CE. ISCOM (Pr), 41, rue d'Amiens,
59800 Lille, tél. 03.20.40.00.12.
• CE. ISCOM (Pr), 4, cité de Londres,
75009 Paris, tél. 01.55.07.07.77.
• CE. ISCOM (Pr), 15, rue des Magasins,
67000 Strasbourg, tél. 03.88.37.59.03.
• CE. ISCOM (Pr), Le Galaxie,
14, av. Georges-Pompidou, 69003 Lyon,
tél. 04.72.91.36.04.
• CE. ISCOM (Pr), parc Euromédecine,
1702, rue Saint-Priest, 34097 Montpellier
cedex 05, tél. 04.67.10.57.57.

**Spécialisation en
communication institutionnelle,
options publication d'entreprise,
communication de crise**
Titre CCI. ESTACOM (Co),
25, rue Louis-Mallet, 18000 Bourges,
tél. 02.48.67.55.55.

**Spécialisation en
communication journalistique,
audiovisuelle et multimédia
(ACOM 3)**
• CE. ISCOM (Pr), 4, cité de Londres,
75009 Paris, tél. 01.55.07.07.77.
• CE. ISCOM (Pr), Le Galaxie,
14, av. Georges-Pompidou, 69003 Lyon,
tél. 04.72.91.36.04.

**Spécialisation en relations
publiques et relations presse,
communication événementielle
(REP)**
• CE. ISCOM (Pr), 4, cité de Londres,
75009 Paris, tél. 01.55.07.07.77.
• CE. ISCOM (Pr), parc Euromédecine,
1702, rue Saint-Priest, 34097 Montpellier
cedex 05, tél. 04.67.10.57.57.

Tunon RP
• CE. École internationale Tunon (Pr),
164, rue du Faubourg-Saint-Honoré,
75008 Paris, tél. 01.43.59.80.00.

LES ÉCOLES DE COMMUNICATION

Voici les écoles qui proposent une formation info-communication, mentions archives, communication d'entreprise, relations publiques et métiers de la presse. Ces différentes formations sont accessibles en trois ou quatre ans après le bac ou bien en deux ans après un bac+2. Ces écoles sont présentées dans la troisième partie de ce guide.

06902 Sophia-Antipolis cedex
Euro-American Institute of Technology (EAI Tech), rue Albert-Einstein, BP 085, tél. 04.93.95.44.44.

44003 Nantes cedex 1
Sciences com', 1, rue Marivaux, BP 80303, tél. 02.40.44.90.00.

49130 Les Ponts-de-Cé
Institut des relations publiques et de la communication (IRCOM), 23, rue Édouard-Guinel, tél. 02.41.79.64.64.

59001 Lille cedex
École française des attachés de presse et des professionnels de la communication (EFAP), 9-11, rue Léon-Trulin, BP 145, tél. 03.20.74.64.90.

59300 Valenciennes
Centre de formation de la CCI de Valenciennes. Institut de la formation à l'accueil et à la communication (IFAC), espace Philippa-de-Hainaut, 160, ad Harpignies, tél. 03.27.28.45.40.

59800 Lille
Institut des stratégies et techniques de communication (ISTC), 67, bd Vauban, tél. 03.20.54.32.32.

69003 Lyon
Institut supérieur de communication (ISCOM), Le Galaxie, 14, av. Georges-Pompidou, tél. 04.72.91.36.04.

69004 Lyon
École française des attachés de presse et des professionnels de la communication (EFAP), 47, rue Henry-Gorjus, tél. 04.78.30.10.01.

75007 Paris
American University of Paris. L'Université américaine de Paris (AUP), 31, av. Bosquet, tél. 01.40.62.06.00.

75008 Paris
École française des attachés de presse et des professionnels de la communication (EFAP), 61, rue Pierre-Charron, tél. 01.53.76.88.00.

75009 Paris
Institut européen de management international (IEMI), 52, rue Saint-Lazare, tél. 01.45.26.59.28.

75009 Paris
Institut supérieur de communication (ISCOM), 4, cité de Londres, tél. 01.55.07.07.77.

75011 Paris
Institut international de communication de Paris (IICP), 6, rue Froment, tél. 01.55.28.82.82.

75015 Paris
Advancia-Site Montparnasse, 3, rue Armand-Moisant, tél. 01.40.64.40.00.

92300 Levallois-Perret
EFAP-Communication, 10-12, rue Baudin, tél. 01.47.48.00.10.

92300 Levallois-Perret
Institut supérieur libre d'enseignement des relations publiques (ISERP), 87 *bis*, rue Carnot, tél. 01.47.48.15.15.

LES IUP EN COMMUNICATION

Les instituts universitaires professionnalisés (IUP) sont accessibles après une première année validée de DEUG, DUT ou BTS. Vous trouverez ci-dessous les coordonnées des IUP en communication.

IUP culture et technologies, option communication culturelle et technologies numériques
Université d'Avignon et des pays de Vaucluse, UFR SLA, 74, rue Louis-Pasteur, 84029 Avignon cedex, tél. 04.90.16.27.13.

IUP information et communication
Université Lille 3, rue Vincent-Auriol, BP 35, 59051 Roubaix cedex 01, tél. 03.20.65.66.00.

IUP information et communication
Université Paris 4, CELSA, 77, rue de Villiers, 92523 Neuilly-sur-Seine cedex, tél. 01.46.43.76.76.

IUP ingénierie de l'information et de la communication
Université Grenoble 3,
Institut de la communication et des médias (ICM), 11, av. du 8-mai-1945, 38130 Échirolles, tél. 04.76.82.43.21.

IUP ingénierie de l'information et de la communication de Lorraine
Université Nancy 2,
3, place Godefroy-de-Bouillon, BP 3397, 54015 Nancy cedex, tél. 03.83.96.70.30.
Université de Metz, Faculté des lettres, Technopôle Metz 2000, 7, rue Marconi, 57070 Metz, tél. 03.87.31.55.50.

IUP métiers de l'information et de la communication
Université Lyon 3, 74, rue Pasteur, bât. Athéna, rez-de-chaussée, 69007 Lyon, tél. 04.78.78.71.77.

IUP métiers de l'information et de la communication
Université Paris 13,
99, av. Jean-Baptiste-Clément, 93430 Villetaneuse, tél. 01.49.40.39.20.

IUP métiers de l'information et de la communication
Université Rennes 2 Haute-Bretagne, campus Villejean, 6, av. Gaston-Berger, bât. B, CS 24307, 35043 Rennes cedex, tél. 02.99.14.15.86.

IUP nouvelles technologies de l'information et de la communication
Università di Corsica Pasquale Paoli, UFR sciences et techniques, campus Grossetti, BP 52, 20250 Corte, tél. 04.95.45.00.54.

IUP sciences de l'information et de la communication
Université Bordeaux 3, UFR ISIC, domaine universitaire, bât. J, 33607 Pessac cedex, tél. 05.57.12.45.71.

LES MST EN COMMUNICATION

Les maîtrises de sciences et techniques (MST) se préparent en deux ans après un premier diplôme de niveau bac+2, DEUG, DUT ou BTS. Nous présentons ci-dessous les coordonnées des universités qui délivrent une MST en communication.

MST chef de projet en technologies de l'information et de la communication
Université de Metz,
UFR de mathématiques, informatique, mécanique, Île du Saulcy,
57045 Metz cedex 01,
tél. 03.87.31.53.20.

MST chef de projet en technologies de l'information et de la communication
Université de Limoges, Faculté des sciences, 123, av. Albert-Thomas, 87060 Limoges cedex,
tél. 05.55.45.72.00.

MST communication des entreprises et des collectivités
Université Blaise-Pascal,
UFR langues appliquées, commerce et communication, 34, av. Carnot, 63037 Clermont-Ferrand cedex 01, tél. 04.73.40.64.23.

MST information communication d'entreprise
Université de Poitiers, Institut de la communication et des nouvelles technologies, Téléport 5, BP 64, 86130 Jaunay-Clan, tél. 05.49.49.46.50.

MST information et communication, mention hyperdocuments multimédia
Université Vincennes-Saint-Denis, UFR langage, informatique, technologie, 2, rue de la Liberté, bât. A, 93526 Saint-Denis cedex 02, tél. 01.49.40.64.27.

MST journalisme et communication
Université de la Méditerranée,
École de journalisme et de communication, 21, rue Virgile-Marron, 13392 Marseille cedex 05, tél. 04.91.24.32.00.

MST mercatique et communication
Université des sciences et technologies de Lille, Institut d'administration des entreprises,
104, av. du Peuple-Belge,
59043 Lille cedex, tél. 03.20.12.34.50.

MST presse et communication dans l'entreprise
Université Jean-Monnet,
Faculté sciences humaines et sociales, 33, rue du 11-Novembre, 42023 Saint-Étienne cedex 2, tél. 04.77.42.16.00.

LES DESS EN COMMUNICATION

Les diplômes d'études supérieures spécialisées (DESS) sont accessibles après une maîtrise ou tout autre diplôme de niveau bac+4. Il en existe une quarantaine (quarante-six précisément) dans le secteur de la communication.
Pour obtenir les coordonnées de l'UFR ou de la faculté qui délivre le ou les DESS, adressez-vous aux services communs universitaires d'information et d'orientation (SCUIO).

- Administration et gestion de la communication : Toulouse 1.
- Carrières technico-commerciales de l'information et de la communication : Montpellier 2.
- Communication appliquée à la valorisation des ressources régionales : Corte.
- Communication dans l'Océan indien : La Réunion.
- Communication des entreprises, des administrations et des institutions : Marne-la Vallée.
- Communication des organisations publiques, privées et politiques : Versailles.
- Communication et jeunesse : Bordeaux 3.
- Communication internationale : Lille 1.
- Communication politique et sociale : Paris 1.
- Communication scientifique et technique : Grenoble 3, Strasbourg 1.
- Communication, information scientifiques, techniques et médicales : Paris 7.
- Communication, politique et animation locales : Paris 1.
- Droit et techniques de communication : Poitiers.
- Esthétique de la communication : Metz.
- Euromédias : Dijon.
- Gestion de l'information dans l'entreprise : IEP Paris.
- Images de synthèse appliquées à la communication : Strasbourg 2.
- Information et communication : Lyon 3, Strasbourg 3.
- Information et communication des entreprises et organisations : Nancy 2.

- Information et communication des organisations : Bordeaux 3.
- Information et communication spécialisées : Bordeaux 3.
- Information médicale à l'hôpital et dans les filières de soins : Aix-Marseille 2, Montpellier 1.
- Information médicale et santé : Nancy 1.
- Information scientifique et technique : Nancy 2.
- Ingénierie de la communication industrielle et technologique : UTC Compiègne.
- Intelligence de la communication écrite : édition, études et conseil : Paris 5.
- Langues étrangères appliquées, option techniques de communication : Amiens.
- Langues étrangères appliquées à la communication en entreprise : Lyon 3.
- Lettres modernes spécialisées : Paris 4.
- Management de la communication audiovisuelle : Valenciennes.
- Management de la communication dans les organisations de services aux publics : Lille 3.
- Management des technologies de l'information : Marne-la Vallée.
- Management du changement et de la communication : Aix-Marseille 3.
- Management et conception de systèmes d'information communicants : Lyon 3.
- Marketing et communication des entreprises : marketing global et interactif : Paris 2.
- Média et communication économique : Aix-Marseille 3.
- Médiation et ingénierie culturelle : Nice.
- Nouveaux médias de l'information et de la communication : Aix-Marseille 2.
- Nouvelles technologies de l'information et de la communication : Corte.
- Relations publiques de l'environnement : Cergy-Pontoise.
- Ressources humaines et stratégies d'entreprise, option information et communication dans l'entreprise : Paris 12.
- Stratégies de communication internationale : Dijon.
- Techniques de l'information et de la communication : Paris 4.
- Techniques de l'information et du journalisme : Paris 2.
- Traitement de l'information médicale et hospitalière : Rennes 1.
- Traitement et valorisation de l'information textuelle : Poitiers.

LES ASSOCIATIONS PROFESSIONNELLES

Si leur rôle premier est de défendre les intérêts de leurs membres, les associations et fédérations professionnelles peuvent aussi aider les jeunes diplômés en mettant à leur disposition des publications spécialisées, des annuaires d'entreprises, voire en diffusant leur candidature auprès de leurs adhérents... Nous vous donnons ici les coordonnées des principales associations dans le domaine de la communication.

ANPE espace emploi communication
12, rue Blanche, 75009 Paris, tél. 01.53.21.80.95.

Association des agences conseils en communication (AACC)
40, bd Malesherbes, 75008 Paris, tél. 01.47.42.13.42. Site Internet : aacc.fr

Association des responsables de communication de l'enseignement supérieur (ARCES)
60, boulevard Saint-Michel, 75006 Paris, tél. 01.40.51.90.20. Site Internet : www.arces.com

Association française de communication interne (AFCI)
108, boulevard Galliéni, 92130 Issy-les-Moulineaux,tél. 01.47.36.90.51.

Association française des conseils en *lobbying* (AFCL)
105, bd Haussmann, 75008 Paris, tél. 01.47.42.53.00.

Association française des relations publiques (AFREP)
c/o AIVF, 20, rue Bachaumont, 75002 Paris, tél. 01.40.13.94.95.

Association nationale des agences événementielles (ANAÉ)
126, rue du Faubourg Saint-Denis, 75010 Paris, tél. 01.40.05.52.00. Site Internet : anae.org

Association pour le développement du mécénat industriel et commercial (ADMICAL)
16, rue Girardon, 75018 Paris, tél. 01.42.55.20.01. Site Internet : admical.org

Association pour les relations avec les pouvoirs publics
42, avenue de Friedland, 75008 Paris, tél. 01.71.71.12.84

Communication publique
c/o Conseil d'État, 1, place du Palais-Royal, 75001 Paris, tél. 01.40.20.80.00. Site Internet : conseil-etat.fr Association de chargés de communication dans le service public et les collectivités territoriales.

Entreprises & Médias,
30, rue de Gramont, 75502 Paris cedex, tél. 01.44.50.12.00. Association de directeurs de la communication.

Information Presse et Communication
9, rue Duras, 75008 Paris, tél. 01.42.65.08.03.

Syndicat national des attachés de presse professionnels et des conseillers en relations publiques (SYNAP)
56, rue Poussin, 75016 Paris, tél. 01.47.43.00.44. Site Internet : synap.org

Syntec Relations publiques
Chambre syndicale des sociétés de conseils, 3, rue Léon-Bonnat, 75016 Paris, tél. 01.44.30.49.20. Site Internet : syntec-rp.com

Union des journaux et journalistes d'entreprise de France (UJJEF)
420, rue Saint-Honoré, 75008 Paris, tél. 01.47.03.68.00.

Union des Annonceurs (UDA)
53, avenue Victor-Hugo, 75116 Paris, tél. 01.45.00.79.10.

LES PUBLICATIONS SPÉCIALISÉES

Voici une liste de publications spécialisées où vous trouverez des adresses d'agences ou d'entreprises et où vous pourrez recueillir des informations précieuses sur le secteur de la communication. Les annuaires sont en général très coûteux : certains éditeurs autorisent la consultation gratuite dans leurs locaux ; pour les autres, prospectez les bibliothèques.

▬▬ Les annuaires

Annuaire de l'Association professionnelle des journalistes du tourisme (APJT) : recense aussi les attachés de presse. Parution annuelle en mars, 200 F. Édité par l'APJT, 25, rue Bleue, 75009 Paris, tél. 01.42.46.37.56.

Annuaire des adhérents de l'Union des journaux et journalistes d'entreprise de France (UJJEF) : recense les titres des journaux d'entreprise avec leur périodicité, leur diffusion, les noms du directeur de la publication et du rédacteur en chef. Parution annuelle en juin, 700 F (consultable gratuitement au centre de documentation de l'UJJEF). Édité par l'UJJEF, 420, rue Saint-Honoré, 75008 Paris, tél. 01.47.03.68.00.

Annuaire Dircom : recense les dircoms et responsables de la communication des 2 000 premières entreprises françaises, des secteurs public et parapublic et des collectivités locales de plus de 10 000 habitants. Parution annuelle en avril, 400 F. Édité par L'Expression d'entreprise, 22, rue Plumet, 75015 Paris, tél. 01.47.34.02.70. Site Internet : topcom.fr

Guide des agences : le tome 1 est consacré à la communication généraliste, le tome 2 aux agences spécialisées (design...). Parution annuelle fin décembre, 590 F (consultable gratuitement à *Stratégies*). Édité par *Stratégies* (voir ci-dessous).

Guide des agences de communication : en cinq volumes (480 F les 5), le tome 1 pour la publicité et les agences de communication, le tome 4 pour la communication d'entreprise. Parution en juin. Édité par *Communication CB News* (voir ci-dessous).

Guide des agences et prestataires : 400 agences de communication événementielle et 540 prestataires. Parution en septembre, 390 F (consultable à *L'Événementiel*, possibilité de photocopies). Édité par *L'Événementiel*, 86, rue du Président-Wilson, 92300 Levallois-Perret, tél. 01.41.27.16.33.

Guide des relations presse : 12 000 contacts. Parution annuelle en avril-mai, 489 F, 389 F pour les étudiants (consultable gratuitement à Édinove). Édité par Édinove, 135, av. de Wagram, 75017 Paris, tél. 01.42.27.79.73.

Liste des attachés de presse spécialisés dans le cinéma, dans le numéro Spécial Cannes. Publiée par *Le Film français*, 152, rue Galliéni, 92514 Boulogne cedex, tél. 01.41.86.16.00.

MédiaSid : les 5 000 noms de la communication. Parution annuelle en janvier, 208 F. Édité par le Service d'information du gouvernement (SIG) et diffusé par la Documentation Française (voir l'adresse ci-dessous).

Répertoire de l'administration française. Parution annuelle en mars, 208 F. Édité par la Documentation Française, 29-31, quai Voltaire, 75344 Paris cedex 07, tél. 01.40.15.70.00. Site Internet : ladocfrancaise.gouv.fr

Trombinoscope : annuaire professionnel du monde politique et économique. Deux tomes ; tome 1 : parlement, gouvernement et institutions ; tome 2 : régions, départements et communes. Parution fin septembre (tome 1) et fin octobre (tome 2), 812,40 F (un volume), 1 248,60 F (deux volumes). Média Publications, 38-48, rue Victor-Hugo, 92300 Levallois-Perret, tél. 01.41.40.24.32, (standard : 01.41.40.23.00.)

▬▬ La presse spécialisée

Communication CB News, 175-177, rue d'Aguesseau, 92100 Boulogne, tél. 01.41.86.70.00. Hebdomadaire, 25 F en kiosque. Site Internet : toutsurlacom.com

L'Événementiel, 86, rue du Président-Wilson, 92300 Levallois-Perret, tél. 01.41.27.16.33. Mensuel, 45 F.

Stratégies, 2, rue Maurice-Hartmann, 92133 Issy-les-Moulineaux, tél. 01.46.29.46.29. Hebdomadaire, 35 F en kiosque. Site Internet : strategies.com

LES AGENCES DE RELATIONS PUBLIQUES

Nous vous présentons ci-dessous la liste des agences membres du Syntec en 2000, qui figurent parmi les plus grandes agences de relations publiques.

ACDM, 52, rue de Ponthieu, 78008 Paris, tél. 01.42.89.23.28.

Aromates, 169, rue d'Aguesseau, 92100 Boulogne cedex, tél. 01.46.99.10.80. Site Internet : aromates.fr

BDDP Corporate, 50-54, rue de Silly, 92513 Boulogne-Billancourt cedex, tél.01.49.09.25.25. Site Internet : bddp.com

Beau Fixe, 9, avenue Hoche, 75008 Paris, tél. 01.53.53.41.51.

Blue Chip, 115, rue du Bac, 75007 Paris, tél. 01.53.63.17.17.

Burson-Marsteller, 6, rue Escudier, 92772 Boulogne-Billancourt cedex, tél. 01.41.86.76.76. Site Internet : bm.com

Canetti Conseil, 19, rue de la Cerisaie, 92150 Suresnes, tél. 01.42.04.21.00.

Communication et institutions 105, bd Haussmann, 75008 Paris, tél. 01.47.42.53.00. Site Internet : www.cominst.com

DDB & Co, 55, rue d'Amsterdam, 75391 Paris cedex 08, tél. 01.53.32.60.00. Site Internet : ddb.com

GCI Moreau Lascombe, 37, rue de Belfort, 75009 Paris, tél. 01.49.70.43.00.

Hill & Knowlton Actis, 42, avenue Raymond Poincaré, 75116 Paris, tél. 01.44.05.28.00.

Inforep, 4, quai de Bercy, 94220 Charenton, tél. 01.43.53.75.86.

Information et Entreprise, 32, rue de Trévise, 75009 Paris, tél, 01.56.03.12.12.

Le Desk Porter Novelli, 8, rue de la Michodière, 75002 Paris, tél. 01.44.94.97.94.

Natkin Presse, 16, avenue du Général Leclerc, 75014 Paris, tél. 01.43.22.90.00. Site Internet : www.natkinpress.com

Nicole Schilling Communication, 2, place Cap Ouest, BP 169, 17005 La Rochelle cedex 1, tél. 05.46.50.15.15. Site Internet : www.n-schilling.com

Self Image, 88, avenue Kleber, 75116 Paris, tél. 01.47.04.70.70.

Shandwick France, 5, rue de Rome, 75008 Paris, tél. 01.44.90.53.53. Site Internet : www.shandwick.com

SRRP, 9, villa Pierre Ginier, 75018 Paris, tél. 01.53.04.23.00. Site Internet : srrp.com

Véronique Foucault Conseil, 14, rue Carnot, 92300 Levallois, tél. 01.47.57.67.77.

LES AGENCES SPÉCIALISÉES EN *LOBBYING*

APCO France, 48, rue du Fg-Saint-Honoré, 75008 Paris, tél. 01.44.94.86.66.

Bernard Rideau & Conseil, 144, avenue Charles-de-Gaulle, 92200 Neuilly-sur-Seine, tél. 01.46.24.56.44.

Boury et associés, 15 *bis*, rue de Marignan, 75008 paris, tél. 01.53.53.42.10.

Communications économiques et sociales (CES,) 8/10, rue Villedo, 75001 Paris, tél. 01.53.45.84.84.

C&I - Communication et institutions, 105, bd haussmann, 75008 Paris, tél. 01.47.42.53.00.

Euralia, 36, avenue Hoche, 75008 Paris, tél. 01.45.63.65.00.

EURO2C (Européenne de conseil et de communication), 122, rue de Provence, 75008 Paris, tél. 01.44.90.25.55.

Euromédiations, 72, rue du Faubourg Saint-Honoré, 75008 Paris, tél. 01.40.07.86.59.

Euro RSCG Omnium et Associés, 84, rue de Villiers, 92683 Levallois-Perret cedex, tél. 01.41.34.41.41.

Interel, 9, rue de Luynes, 75007 Paris, tél. 01.45.44.95.35.

Longin et Associés, 67, avenue des Nerviens, 1040 Bruxelles, Belgique, tél. 00.32.2.230.72.73.

Lunghi, Guyader & Associés, 48, avenue La Motte-Piquet, 75015 Paris, tél. 01.47.34.36.06.

Médiations et arguments, 15, rue du Bac, 75007 Paris, tél. 01.53.45.91.91.

SCH Consultants, 37, rue des Acacias, 75017 Paris, tél. 01.55.37.21.00.

T.L. & A, 16, place de la Madeleine, 75008 Paris, tél. 01.56.43.62.62.

PUBLICITÉ-INFORMATION

ISCPA
INSTITUT DES MÉDIAS

LES SENS DE VOTRE AVENIR

Journalisme

Audiovisuel & Multimédia

Communication

**INSTITUT SUPÉRIEUR
DE COMMUNICATION, DE PRESSE ET D'AUDIOVISUEL**

ISCPA Paris - 12, rue Alexandre Parodi - 75010 Paris
Tél. : **01 40 03 15 56**
e-mail : iscpaparis@groupe-igs.asso.fr

ISCPA Lyon - 107, rue de Marseille - 69007 Lyon
Tél. : **04 72 73 47 83**
e-mail : iscpalyon@groupe-igs.asso.fr

www.institutdesmedia.com

GROUPE IGS
L'UNIVERSITÉ PROFESSIONNELLE
INTERNATIONALE

Etablissement privé d'enseignement supérieur

INDEX

DONNEZ-NOUS VOTRE AVIS !

Ce livre est remis à jour régulièrement.
Pour l'améliorer, votre avis nous est indispensable.
N'hésitez pas à nous communiquer critiques et suggestions.

Vous pouvez également entrer en contact avec nous
par e-mail : orollot@letudiant.fr

_____

_____

_____

_____

_____

_____

_____

_____

_____

_____

_____

Nom .... **Prénom** ....

Âge .... **Niveau d'études** ....

Adresse ....

.... **tél.** ....

**À RETOURNER À OLIVIER ROLLOT, « LES GUIDES DE L'ETUDIANT »
27, RUE DU CHEMIN-VERT - 75543 PARIS CEDEX 11**

Les Guides de l'Etudiant

Directeur de collection : Olivier Rollot.

Assistante : Virginie Ansel.

Responsables d'édition : Christine Aubrée, Séverine Maestri,
Laurence Merland, Pascale Tréguer.

Secrétariat de rédaction/maquette :
Françoise Granjon (première secrétaire de rédaction),
Evelyne Blot, Christine Chadirac, Simone Christ, Nathalie Moreau Donohue.

Visuel :

Directrice artistique : Evelyne Voillaume.
Conception graphique : Val Tarrière.
Conception couverture :
Isabelle Chasserant, Elsa Daillencourt, Éliane Degoul,
Iconographe : Gertrude O'Byrne.

Fabrication : Sabine Enders.

Diffusion : Emmanuelle Ould-Aoudia.

Imprimerie Darantiere : n° d'impression 210-886

ISBN 2-86745-955-9
ISSN 1262-327X
Série Métiers : ISSN 1271-948-X